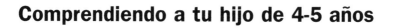

Comprendiendo a tu hijo de 4-5 años

Nueva Clínica Tavistock

Títulos publicados

0. S. Boswell – *Comprendiendo a tu bebé*
1. S. Gustavus Jones – *Comprendiendo a tu hijo de 1 año*
2. L. Miller – *Comprendiendo a tu hijo de 2 años*
3. L. Emanuel – *Comprendiendo a tu hijo de 3 años*
4. L. Maroni – *Comprendiendo a tu hijo de 4-5 años*

Lesley Maroni

Comprendiendo a tu hijo de 4-5 años

PAIDÓS

Barcelona - Buenos Aires - México

Título original: *Understanding Your 4-5-Year-Olds*
Originalmente publicado en inglés, en 2007, por Jessica Kingsley Publishers, Londres
Traducción publicada con permiso de Jessica Kingsley Publishers Ltd.

Traducción de Montserrat Asensio

Cubierta de Mª José del Rey

© 2007 Lesley Maroni
© 2008 de la traducción, Montserrat Asensio
© 2008 de todas las ediciones en castellano,
 Ediciones Paidós Ibérica, S.A.,
 Av. Diagonal, 662-664 - 08034 Barcelona
 http://www.paidos.com

ISBN: 978-84-493-2122-1
Depósito legal: B. 10.552-2008

Impreso en Hurope, S.L.
Lima, 3 - 08030 Barcelona

Impreso en España - Printed in Spain

Sumario

Agradecimientos   **9**

Prólogo   **11**

Introducción   **15**

1 Vida familiar   **19**

La vida en casa **19** – La relación con los padres **21** –
Rivalidad entre hermanos **26** – Juego simbólico **30** –
Una identidad propia dentro de la familia **33** –
Desarrollo emocional **37**

2 La escuela y el mundo exterior   **43**

Empezar en la escuela **43** – Tender puentes entre
el hogar y la escuela **48** – El principio de la amistad **50** –
La identidad más allá de la familia **53** – Juego
cooperativo **55** – Competitividad **57**

3 Desarrollo social   **61**

La realidad y la ficción **61** – El desarrollo de
la curiosidad **64** – Diferencias de género **67** –
El principio del acoso escolar **70** – La diferencia entre
sentirse solo y estarlo **72**

4   Libros para leer con los hijos   **77**

Libros que abordan miedos habituales **77** –
Libros que les puede leer a sus hijos **79**

5   Temores y preocupaciones   **85**

Afrontar la pérdida **85** – Obstáculos para
el aprendizaje **90** – Enfermedades y otros
problemas **96** – Conductas preocupantes **99**

6   Avanzar   **103**

Hay que establecer límites **103** – Hacia una
independencia cada vez mayor **107**

Conclusión   **111**

Bibliografía y lecturas recomendadas   **113**

Direcciones útiles   **117**

Agradecimientos

Deseo expresar mi agradecimiento a Jane Purchase y a todos los niños que asistieron a su clase de primero, tanto en el pasado (mis dos hijos) como en el presente. También agradezco a mi marido, Harry, toda la paciencia que ha mostrado al leer el texto y ofrecerme sus sabios consejos, y a mis colegas y a todos los padres, el hecho de haber compartido generosamente conmigo su material.

Prólogo

La Clínica Tavistock goza de reputación internacional como centro de excelencia para la formación, la clínica de la salud mental, la investigación y el conocimiento. Se fundó en 1920 y desde el principio ha llevado a cabo actividades pioneras en su campo. El objetivo original de la clínica era ofrecer un tratamiento que pudiera ser utilizado como base para la investigación sobre la prevención y el tratamiento sociales de los problemas de salud mental y formar a profesionales en estas habilidades innovadoras. El trabajo posterior se orientó al tratamiento de traumas y a la comprensión de los procesos grupales conscientes e inconscientes, a la vez que se llevaba a cabo un trabajo importante e influyente en psicología del desarrollo. La investigación sobre la muerte perinatal condujo a la profesión médica a una nueva comprensión de lo que conllevan los partos en los que el niño fallece y a desarrollar nuevos modos para apoyar a los padres y a las familias en esta situación. En las décadas de 1950 y 1960 surgió un modelo sistémico de psicoterapia que se centraba en la interacción de los niños y de los padres en el seno familiar y que ha llegado a constituir el núcleo de conocimiento teórico y de técnicas terapéuticas que se utilizan en la formación y la investigación en terapia familiar en la Clínica Tavistock.

La serie «Comprendiendo a tu hijo» ocupa un lugar importante en la historia de la Clínica Tavistock. Se ha editado de forma completamente nueva en la década de 1960, en la de 1990 y ahora, en 2004. En cada volumen, los autores, a partir de su experiencia clínica y de su formación, han intentado reflejar la extraordinaria historia del «desarrollo normal» tal y como se observa y se experimenta en cada momento. La sociedad evoluciona, por supuesto, y también lo ha hecho esta colección, ya que intenta dar algo de sentido a las historias cotidianas que nos muestran cómo un niño en desarrollo interactúa con sus padres, con sus cuidadores y con el mundo en general. Sin embargo, en este escenario cambiante, hay algo que permanece inmutable y es el permanente entusiasmo por una perspectiva del desarrollo que reconoce la importancia de las fuertes emociones y sentimientos que se experimentan en cada estadio del desarrollo.

Cada uno de los volúmenes anteriores de la serie se ha dedicado a una edad específica. Éste es el primer libro en presentar juntos dos años del desarrollo infantil y en considerarlos como una unidad compleja.

Se centra en los niños de 4 y de 5 años, por lo que refleja los cambios que acontecen cuando el niño empieza a explorar relaciones más allá de la familia y a establecer amistades. A estas edades, los niños sienten una intensa curiosidad por el mundo que los rodea, lo que les provoca tanta alegría como agotamiento. Lesley Maroni nos ofrece una descripción gráfica de los niños en esta etapa fundamental del desarrollo, así como informaciones útiles tanto para los padres como para los profesionales que trabajan con ellos.

JONATHAN BRADLEY
Psicoterapeuta infantil
Director general de la serie
«Comprendiendo a tu hijo»

Introducción

El objetivo de este libro tan breve es intentar imaginarnos cómo es la vida desde la perspectiva de los niños de entre 4 y 5 años, una edad en la que poco a poco van liberándose del apasionado apego a la familia y abriéndose al mundo de la escuela y a la vida más allá de la familia.

Los niños de estas edades centran casi toda su atención en las relaciones, especialmente en las relaciones entre adultos. En otras palabras: ¿cómo se unen las personas?, ¿cómo acabaron juntos papá y mamá?, y ¿dónde encajo yo? Para ser capaz de establecer amistades propias, el niño de 4 o 5 años tiene que haber abandonado el deseo de mantener una relación exclusiva con uno de los padres, dejar así espacio para el otro y pasar a formar parte de una relación triangular. Es así como el niño consigue desarrollar el sentido de identidad y diferenciarse de la pareja de progenitores, a pesar de saberse conectado con ellos. Cuando se trata de una familia monoparental, el niño se limita a esforzarse más a la hora de incorporar la idea de una tercera persona, por lo que suele preguntar con frecuencia acerca del padre o madre ausente con la intención de formarse una idea de su situación.

Por supuesto, tanto un padre como una madre solteros pueden presentar las cualidades del otro; es decir, si es necesario, una madre puede encontrar una voz más firme y autoritaria, del mismo modo que un padre puede mostrar una faceta más dulce. En la actualidad, el divorcio y las separaciones alteran con frecuencia la estructura familiar compuesta por la madre, el padre y los hijos. Es muy probable que se formen nuevas familias, si el padre o la madre vuelven a unirse a otra persona que también tiene hijos. Pueden nacer más bebés, lo que añade medio hermanos a lo que ya era un sistema familiar extendido y confuso. Tener todas estas posibles combinaciones en cuenta convertiría este libro en algo muy diferente, por lo que me referiré siempre al modelo de familia tradicional, en parte, también, porque es el que tienen los niños en mente, por muy diferente que sea la realidad en que viven.

Esta edad es en cierto modo un anticipo de lo que será la adolescencia, en términos de la dificultad que supone encontrar el equilibrio entre la necesidad de seguir recibiendo la atención y los cuidados de los padres y el deseo de independencia. Los niños de 4 y 5 años empiezan a interesarse por el mundo exterior al establecer relaciones con sus iguales, pero siguen queriendo volver a junto a su madre, para sentirse seguros.

Uno de los aspectos más maravillosos de los niños de este grupo de edad es su inagotable curiosidad por el mundo que los rodea y su deseo de entender qué lugar ocupan en él. Es el momento de las preguntas: ¿de dónde vengo? ¿por qué…? ¿cómo…?, etc. Hacen tantas que a veces acaban volviendo locos a los padres (y poniendo a prueba su propio conocimiento del mundo). «Pero *¿por qué* el cielo es azul?» es la pregunta que repitió una y otra vez a lo largo de varios meses un niño de 4 años. Tras haberle ofrecido varias respuestas meditadas, la madre acabó exasperada: «¡Pues porque sí, y ya está!». El niño procedió, entonces, a plantear otras preguntas similares, la mayoría sin respuesta, como: «¿Y dónde vive Dios?»

Por otro lado, el niño empieza a ser capaz de mostrar empatía, es decir, de ponerse en el lugar de los demás y de imaginar cómo se sienten. La capacidad de preocuparse por los demás y por sus emociones es un hito del desarrollo muy importante. Una niña pequeña oyó que el hermano pequeño de una amiga suya se había quedado encerrado, por accidente, en el cuarto de baño, y dijo: «Seguro que se asustó mucho cuando su padre no pudo abrir la puerta». Sin embargo, cuando se trata de los propios hermanos, ser capaz de «interpertarles» quiere decir saber exactamente qué es lo que les enfurecerá y molestará más.

No olvidemos, tampoco, que es la edad en que se da la primera transición importante: hasta ese momento, ir a la guardería o a las clases de preescolar era opcional, pero, a partir de entonces, ir a la escuela se convierte en un imperativo legal. El aprendizaje se vuelve más formal, aunque, en la actualidad, la mayoría de clases de primero consiguen equilibrar el «trabajo» y el juego. Hay niños que logran superar la ansiedad social mostrándose capaces a nivel intelectual. Hay algunos afortunados que consiguen destacar en todas las facetas. De todos modos, la mayoría se encuentran en un lugar intermedio, donde unas veces se sienten solos y rechazados, y otras, el epicentro de la acción. Tienen que aprender a compartir la atención de los maestros, y eso les enseña, entre otras cosas, que no son únicos y especiales.

Las amistades pasan a ser más estables y basadas en la experiencia compartida. Cuando el niño de 5 años empiece a ir a la escuela de verdad, le ayudará muchísimo poder contar con buenos amigos que emprendan el mismo camino que ellos, incluso aunque se trate únicamente de pasar de clase de preescolar a clase de primaria en la misma escuela. Es importante que los niños se sientan reconocidos y aceptados por los demás, fuera del ámbito de la familia. Es muy frecuente ver cómo se les ilumina la cara cuando localizan a uno de sus amigos en el patio, y cómo se entristecen cuando no lo encuentran.

Todos los niños de esta edad tienen algo en común: el deseo de descubrir lo que pasa ahí fuera.

1

Vida familiar

La vida en casa

«¡Mira lo que hago!»

Es lógico sentirse sorprendido por el modo en que los niños de 4 y 5 años pasan de querer demostrarnos sus recién adquiridas habilidades y su incipiente independencia a regresar a un estado más infantil en que vuelven a chuparse el pulgar y parecen haber perdido todas sus nuevas capacidades. Un buen ejemplo de ello es Alistair, un niño de 4 años y 9 meses: todas las tardes, cuando volvía de la escuela, se sentaba ante el ordenador de la familia e intentaba jugar a un programa de matemáticas que era demasiado difícil para él. Cuando conseguía acertar un resultado, exclamaba con alegría: «¡Mirad qué bien lo hago!». A esto le seguía un «me aburro» para no enfrentarse a las sumas más complicadas, que aún no era capaz de resolver. Entonces empezaba a chuparse el pulgar con fuerza y se acurrucaba en el regazo de su madre, como si necesitara conservar un lugar donde no necesitara ser «inteligente» o «mayor». Era de nuevo el bebé de mamá hasta que volverá a sentirse preparado para salir corriendo y descubrir nuevos horizontes.

Los niños de estas edades suelen acabar agotados tras un día de clase, incluso tras un día en la guardería, por lo que, cuando llegan a casa, pueden mostrarse muy irritados. Los padres se quedan perplejos: les felicitan por el comportamiento ejemplar de sus hijos fuera de casa, pero, dentro de ella, se comportan de manera muy distinta. Padres y madres acaban exasperados, intentan afrontar las lágrimas y las rabietas, se preguntan por qué su hijo no puede portarse bien con ellos. Lo que sucede es que el hogar es el único sitio donde el niño se siente lo suficientemente seguro y querido como para atreverse a mostrar sus emociones negativas. Puede que deba pasarse el día reprimiendo sentimientos intolerables acerca de ser demasiado pequeño o demasiado tonto. Por otro lado, el niño también desea comprobar la capacidad de sus padres a la hora de tolerar su faceta menos agradable y de mantener límites firmes, sin tomar represalias. Los niños demuestran poseer una gran habilidad para provocar en los padres emociones que les recuerdan a cuando ellos mismos tenían 4 o 5 años. Esto sucede, porque las emociones primitivas pueden generar reacciones igualmente primitivas. Por ejemplo, Christine, tras repetidas provocaciones por parte de David, su hijo de 4 años, se sorprendió a sí misma golpeando el suelo con el pie y gritando que no, que no quería y que no pensaba hacerlo: «¡No, no, no!», gritó en un reflejo perfecto de la conducta anterior de David.

Resulta muy útil recordar cómo era tener 4 o 5 años, porque ayuda a los padres a ponerse en el lugar de sus hijos. Christine también recordó lo mucho que le gustaba acurrucarse en el sofá junto a su madre, para que le leyera en voz alta. Lo repitió con su hijo, que lo disfrutó tanto como lo había hecho ella.

La relación con los padres

«Papá se va a enfadar mucho.»

Éste es el momento en que los niños empiezan a distanciarse de la apasionada relación con su padres para establecer relaciones distintas, aunque en ocasiones igualmente apasionadas, con sus amigos e incluso con sus maestros. Un día, Ben, un niño de 4 años, volvió de la escuela y le dijo a su madre: «Ojalá pudiera tener dos mamás: tú y la señora Wright». Cuando su madre le preguntó qué le gustaba tanto de su maestra, susurró un tanto avergonzado que, a veces, le dejaba sentarse en su regazo mientras leía cuentos para toda la clase. A Ben le ponía muy nervioso el momento de la transición en la escuela y le costaba mucho dejar a su madre a las puertas del colegio. Era evidente que la señora Wright, una mujer rolliza y maternal, se había dado cuenta de las dificultades por las que pasaba Ben y le había concedido lo que tanto echaba de menos: la sensación de los brazos de su madre, rodeándole.

Es muy fácil entrar en una dinámica en la que el padre se convierte en la persona encargada de las normas y la madre, en la que proporciona el afecto y el consuelo. En ocasiones, a las propias madres les cuesta mostrar su faceta más estricta y prefieren que sea el padre quien asuma este papel. Paul, un niño de 4 años y medio, jugaba a hacer chocar un par de coches de juguete. Su madre le pidió que dejara de hacerlo, a la manera tradicional: «Para o papá se enfadará cuando lo vea». La hermana de Paul, que estaba escuchando, se dejó caer de repente al suelo. La madre desvió inmediatamente la atención hacia ella, la cogió en brazos y le dijo: «Ay, pobrecita mía» al tiempo que le acariciaba la cara con suavidad. Paul empezó a hacer chocar los coches de nuevo, pero esta vez con más fuerza. Y fue en ese momento cuando su madre fue capaz de asumir el enfado y encontrar dentro de sí una voz lo suficientemente firme como para decirle a Paul que parara sin necesidad de meter al padre por medio. Paul paró. Era obvio que la madre se sentía más cómoda en la función tradicional de proporcionar consuelo, tal y como lo demostró con la niña, pero, al final, consiguió encontrar una voz más firme que resultaba convincente, sin llegar a ser punitiva. Evidentemente, Paul acabó convencido, porque le hizo caso.

Las madres de hijos varones suelen decir: «Sólo le hace caso a su padre» y: «No lo entiendo, cuando le pido que haga algo, no me hace ni caso, pero si se lo dice su padre, le falta tiempo para salir corriendo». Los padres pueden ayudar a los hijos a alejarse de la relación diádica madrehijo y pasar a otra distinta, que ya conforma una tríada. Cuando todo va bien, el padre también le transmite con claridad a su hijo que no puede usurpar su puesto y convertirse en el compañero de mamá, por mucho que fantasee al respecto y por mucho que intente encontrar el medio de meterse por en medio. Los niños necesitan a un padre (o a una madre que actúe como uno) que les muestre dónde están los límites. A continuación, encontramos a Sammy, un niño de 4 años, hablando del coche que habían fabricado a partir de una caja de cartón hacía un par de días.

Sammy corre a buscar el coche y lo arrastra hasta donde está su madre. «¿Quién pintó las ruedas, Sammy?», pregunta ella. «Tú», contesta él. «No, yo no.» «¿Papá?», aventura Sammy. «No.» «¡Fui YO!», dice Sammy, riendo. «Sí, fuiste *tú*», contesta la madre. «¿Y quién hizo el volante?» «¿Yo?», pregunta Sammy esperanzado. «No, fue…» «¡PAPÁ!», exclama Sammy. Y entonces, dice en voz baja: «Todo el mundo necesita un papá». A lo que añade con rapidez mirando a su madre: «Y una mamá». Su madre le abraza.

Al decir con voz esperanzada que fue él quien construyó el volante, Sammy muestra el deseo de ser mayor y de tener el control sobre el coche, o, mejor dicho, de ser él quien lo conduzca, al igual que, quizás, imagina que papá «conduce» a mamá. Sin embargo, la duda que deja entrever en su voz nos muestra también que aún no se cree capaz de hacerlo. La alegría que siente al recordar que es su padre quien se encarga de ello, le llena de gratitud, al tiempo que le permite reconocer que todavía necesita a un padre que le ayude a crecer. Como es él mismo quien se da cuenta de sus propias limitaciones, no se siente humillado por ser pequeño. Éste es también un ejemplo de dos personas (Sammy y su padre) que se unen, en esta ocasión para crear algo nuevo, lo que es una cuestión fundamental en el mundo de los niños de 4 y 5 años. Trataré esta cuestión en mayor profundidad más adelante.

A Amanda le costó más que a Sammy aceptar que era pequeña y, por lo tanto, incapaz de controlar a sus padres. Intentaba separarlos e impedir que se besaran o que se demostraran ningún tipo de afecto, a veces diciendo: «¡Qué asco!», y otras de forma más indirecta: se ponía en una situación peligrosa, como por ejemplo subiéndose al repecho de la ventana o al respaldo del sofá, y fingía que estaba a punto de caerse, ante lo que, sus padres, evidentemente, acudían corriendo para «rescatarla». Amanda era un caso extremo de celos, consecuencia, en parte, del nacimiento de un hermanito hacía unos meses. Creía que si mamá y papá se besaban, llegarían más bebés y quería evitarlo a toda costa. Le dolía mucho darse cuenta de la relación padre-madre, porque despertaba en ella la rivalidad hacia su madre, al tiempo que la relación madre-bebé desviaba parte de la atención que hasta entonces su madre le había dedicado a ella. Parecía estar diciendo: «¿Y yo qué?».

Hay muchas niñas como Amanda, con la misma idea que sus hermanos varones, es decir, que serían una pareja mucho mejor para el progenitor del sexo opuesto que sus propios padres o madres. Por supuesto, no se trata más que de fantasías y, tanto los unos como las otras, necesitan límites claros que les recuerden con firmeza y con cariño cuál es el lugar que les corresponde como niños. Las niñas pequeñas pueden volverse muy seductoras delante de sus padres, tal y como demostró Emily, una niña de 4 años, un día que su madre había salido y su padre se había quedado para cuidar de ella: «¡Papá, papá! ¡Mírame! ¡Mira qué hago! Mira, papá, estoy andando cabeza abajo, sobre las manos. ¡Y mira ahora! ¡Puedo abrirme de piernas!». Su padre la felicitó, pero también le dijo que se lo enseñara a mamá cuando volviera. Así, le recordó a Emily que tenía un padre y una madre que podían compartir la alegría por los logros de su hija, al tiempo que le aseguraba que su fantasía inconsciente (es decir, algo que Emily no sabe que piensa a nivel consciente, pero que existe en las partes más profundas de su mente) de librarse de su madre y quedarse a su padre para ella sola nunca se haría realidad.

Hay niños que no dejan de creer que son capaces de controlar las acciones de sus padres, aunque puede tratarse más de un pensamiento mágico que de una creencia real. Olivia, una niña de 5 años, que era hija única, jugaba con su muñeca y le anunció: «Papá quiere que mamá tenga otro bebé, pero eso no va a pasar nunca». Es difícil saber si creía de verdad que podía impedir de algún modo que sus padres le presentaran un rival, o si, simplemente, no podía soportar ni pensar en ello. Había sido la única durante cinco años. Al igual que le sucedía a Emily, parece que pensaba que ella podía ser mejor compañera para papá y que, si venían más bebés, papá se los tendría que dar a ella, no a mamá. Al fin y al cabo, ¡cuidaba perfectamente de su muñeca!

Normalmente, los niños suelen abandonar estas apasionadas emociones acerca de sus padres sobre los 5 años, y empiezan entonces a concentrarse en la tarea de aprender y de adquirir conocimientos sobre el mundo exterior. Esos sentimientos apasionados resurgirán de nuevo en la pubertad, pero eso ya es otra historia.

Rivalidad entre hermanos

«¡Me ha robado los caramelos! ¡Le odio!»

Los hermanos pueden tanto demostrarse unos a otros emociones extraordinariamente agresivas y hostiles, como dar muestras de lealtad y amistad. Nadie sabe mejor que ellos como chinchar al otro hasta hacerle perder los estribos. Charlotte, una niña de casi 6 años, jugaba tranquilamente con su hermano Toby, de 4, hasta que el niño, con una sonrisa maliciosa, distrajo a Charlotte para arrebatarle una bolsita de caramelos que tenía guardada. Cuando Charlotte se dio cuenta, saltó de la silla y se abalanzó sobre la bolsa para recuperarla, pero Toby la sujetó con fuerza y le dio a su hermana una patada en el estómago. Charlotte se llevó las manos a la barriga y llamó a gritos a su padre. Cuando el padre llegó y le dijo a Toby que devolviera los caramelos a su hermana, el niño obedeció, pero no sin antes meterse uno lenta y deliberadamente en la boca, mientras esbozaba una sonrisa provocativa. Charlotte se puso a gritar de nuevo. Un poco más tarde, ambos salieron al jardín a jugar. Se subieron al subibaja y, durante un rato, se divirtieron viendo quién conseguía hacer subir más arriba al otro; pero entonces Toby empezó a aburrirse y al intentar bajarse, Charlotte perdió el equilibrio y se cayó. «¡Eres un tonto», le gritó, y le golpeó en un brazo. Toby le respondió empujándola y entonces se enzarzaron en una pelea, usando manos y piernas para intentar tirar al otro al suelo. Toby se liberó y cogió una caña de bambú con la que apuntó a Charlotte, amenazante. «¡Toby, no!», exclamó Charlotte, y salió corriendo hacia la casa, gritando: «¡Mamá, mamá!».

En ambas ocasiones, los hermanos habían empezado a jugar juntos y a cooperar, hasta que uno hizo algo que enfureció al otro. La situación se agravó de tal modo que hubo un momento en que parecía que iban a hacerse daño de verdad. Lo que resulta interesante es que, en el primer incidente, se reclamó la presencia del padre para solucionar las cosas y, en el conflicto posterior, se acudió a la madre en busca de protección.

William iba a primero y actuaba como un líder, mangoneando al resto de niños y dándoles órdenes a diestro y siniestro. Sin embargo, un día se cayó y se hizo una herida considerable en la rodilla. Mientras esperaba que se la vendaran, empezó a hablar de Katy, su hermana de 2 años, a la que se refería como «el bebé» y que, según él, se portaba muy mal. Contó una larga historia acerca de cómo se había roto un grifo de la bañera, lo que quería decir que, para bañarles, su madre tenía que utilizar una jarra llena de agua. Katy derramaba todo el agua por el suelo «y me tira del pelo y estropea mis juguetes». Cuando le preguntaron qué hacía él cuando sucedía esto, contestó que se limitaba a irse a su habitación, donde permanecía «para alejarme de ella». Puede que éste fuera el motivo por el que William necesitaba afirmar su autoridad sobre los otros niños. Era evidente que se sentía indefenso ante la «mala conducta» de su hermana. También fue capaz de expresar sus celos hacia Katy cuando se hizo daño y, al necesitar a su madre, resultó que estaba con Katy: «¡No es justo! ¿Por qué tiene que estar con ella si se porta tan mal? ¡La odio!». Tenía la cara bañada en lágrimas y, cada vez que hablaba, intentaba contener los sollozos. Sin embargo, una vez le hubieron curado la herida y el dolor empezó a remitir, William pareció olvidarse de todos sus agravios contra Katy y se fue a jugar tan contento.

Los niños como William sienten celos de sus hermanos pequeños sólo cuando, por algún motivo, hacen una regresión a un estado en que necesitan de su madre. Es entonces cuando se enfurecen por no tener una madre exclusivamente suya, pero, tal y como hemos visto con William, una vez vuelven a sentirse capaces de tener 5 años, se olvidan de los hermanos pequeños y se centran en sí mismos y dejan arrastrarse por su curiosidad y su deseo de salir a explorar. Katy podía continuar siendo el bebé tonto: él era el hermano mayor que podía hacer un montón de cosas de las que ella era incapaz.

Zoë era otra historia. La consumían los sentimientos negativos hacia su hermana pequeña, de quien había tenido celos desde que la había visto nacer, a sus 3 años y medio. Hasta ese momento, había disfrutado de su madre en exclusiva (su padre era militar y estaba destinado a una misión internacional), por lo que el nacimiento de su hermana había representado un golpe que Zoë aún no había podido asimilar. Zoë encontró la manera de demostrar sus sentimientos de un modo encubierto, que le permitía conservar su imagen de hermana mayor, responsable y buena. Lo que hacía era incitar a Zoë a que se portara cada vez peor y se quedaba mirando con aires de superioridad cuando su madre se enfadaba con Rachel. Por ejemplo, un día, cuando Rachel tenía 18 meses, estaba sentada en la trona, comiendo ella sola con la cuchara. La madre saló de la habitación un momento y Zoë aprovechó para animar al bebé a que volcara el cuenco de comida y tirara la papilla al suelo. Cuando la madre volvió, se encontró a Rachel riendo de alegría, las paredes y el suelo cubiertos de comida y a Zoë cruzada de brazos con expresión de indignación: «¿A que se ha portado muy mal, mami?», exclamó, mientras la madre le gritaba a Rachel, muy enfadada. Zoë mantuvo esta postura de hermana mayor competente durante todo el primer curso en la escuela, lo que afectó al modo en que entablaba amistades. Desarrolló un sentido de falsa competencia que la llevaba, por ejemplo, a atarles los cordones de los zapatos a los otros niños, porque ella había aprendido a hacerlo desde muy pequeña. Rachel podía ser la hermana maleducada, sucia, desordenada y siempre metida en líos, mientreas que Zoë siguió identificándose con su madre y, al empezar en la escuela, con la profesora, que ayudaba a los más pequeños con cosas que ella ya había aprendido a hacer. A la profesora le preocupaba mucho la conducta de Zoë y se alegraba cuando la niña dejaba ver facetas en las que no era tan competente.

El nacimiento de un hermano, como hemos visto en el caso de Zoë, puede provocar una gran desilusión. El niño debe aceptar que ya no es el único en la vida de su madre. También tiene que aprender a compartirla con otros, del mismo modo que tendrá que compartir a la maestra en la escuela, más adelante. Siempre se le presenta la duda de si habrá suficiente espacio y amor para dos o más. Durante esta importante etapa del desarrollo, el niño tiene que aceptar que su madre no le pertenece sólo a él, sino que tiene otras relaciones, que abarcan al padre, a los hermanos y a los amigos. Si se siente lo suficientemente querido, empezará a valorar la posibilidad de establecer relaciones propias fuera de la familia. De todos modos, habrá momentos, sobre todo cuando esté preocupado, en que querrá volver a ser el único.

Juego simbólico

«Juego a que estoy sólo en el mundo.»

A los 5 años, el niño empieza a dejar de mostrar abiertamente las emociones hacia sus padres que, hasta entonces, tanto niños como niñas habían expresado tan vehementemente con la idea: «Cuando sea mayor, me casaré con mamá». Ahora, la imagen de quienes son sus padres en realidad se superpone a toda la variedad de emociones que ha sentido hacia ellos durante la primera infancia, lo que le ofrece una imagen compleja que integra en su interior. Sin embargo, esta imagen puede llegar a ser muy distinta de la realidad y es muy frecuente que los padres no se reconozcan a sí mismos cuando aparecen representados mediante el juego. Por ejemplo, muchas madres han visto que sus hijos las imitaban, dando sin embargo de ellas una imagen mucho más severa de lo que son en realidad.

Parte de la popularidad universal de que gozan los cuentos de hadas se debe a la evidencia en que aparece en ellos el tema de los padres malvados o incapaces de proteger a sus hijos. Piense en la pérfida madre/madrastra que abandona a los niños en *Hansel y Gretel*. En la versión original se trataba de la madre de los niños, pero, quizás porque tanto a padres como hijos les resultaba demasiado espantoso pensar que una madre podía ser tan mala, las versiones posteriores la conviertieron en madrastra. Por otro lado, el padre de Blancanieves no fue lo suficientemente fuerte como para protegerla de su madrastra. Estos padres y madres de ficción tan aterradores resultan inofensivos, porque están atrapados en las páginas de un libro, lo que permite a los niños explorar sus temores inter-

VIDA FAMILIAR / 31

nos acerca de la hostilidad y la ira (tanto reales como ima-
ginadas) que a veces los padres sienten hacia ellos y ellos,
hacia los padres. A nadie le gusta pensar que, en ocasiones, pueda sentir tanta agresividad hacia las personas a
quien quiere, así que, cuanto más puedan expresar los niños este tipo de emociones mediante el juego simbólico,
más sentirán que pueden contenerlas y manifestarlas de
un modo seguro.

Lewis, un niño de 4 años, estaba en casa, jugando con
sus trenes de juguete. Enganchó los vagones a las máquinas, y empezó a escenificar una historia de *El tren Thomas
y sus amigos*. Sin embargo, la historia se centró pronto en
las cuestiones del propio Lewis acerca de un padre contro-
lador y represor que, creía él, iba a castigarle con severidad
por haberse portado mal. Metió una de las máquinas de
tren en un túnel, abrió un cajón y extrajo de él algunos ladrillos de juguete que utilizó para bloquear la entrada del
túnel. Dijo que «Henry» se había portado muy mal y que
tendría que quedarse allí durante mucho, mucho tiempo.
«¡Henry malo!», exclamó. Finalmente dejó que Henry sa-
liera del túnel, pero lo hizo chocar con otra de las máquinas, provocando así que descarrilara. «¡Oh, no! ¿Qué dirá
ahora el revisor? Se va a enfadar mucho, mucho, mucho.
Encerrará a Henry en el túnel para siempre.»

Es como si Lewis intentara averiguar qué le sucedería si
se portara verdaderamente mal, lo que escenificó en el
juego provocando que los dos trenes chocharan deliberadamente, para hacerles descarrilar. Puede que esto pusie-
ra de manifiesto su deseo de desbancar a su padre y de
«hacerle descarrilar», para poder quedarse solo con su
madre, pero el castigo con que se encontró por cumplir su

deseo fue realmente severo. De hecho, Lewis se construyó una imagen de lo que estaba bien y de lo que estaba mal mediante el juego. ¿Hasta dónde podía llegar su mala conducta antes de que su padre lo detuviera, al igual que el revisor del juego, y le castigara? Hay que darse cuenta de que el castigo es excesivamente duro (destierro a perpetuidad), lo que no le deja mucho espacio para ser perdonado ni para poder arreglar la situación. Para los niños de esta edad, los padres y las madres pueden ser figuras de autoridad imponentes y un tanto aterradoras. Tan sólo pensar algo malo acerca de ellos puede provocarles sentimientos de culpabilidad desproporcionados.

Del mismo modo que se sienten culpables de vez en cuando por haber deseado que el padre o la madre desaparecieran para tener el campo libre, los niños también suelen tener miedo de que los padres fallezcan y les dejen solos y desvalidos. James era un niño de 5 años muy ansioso a quien le preocupaba en exceso el estado de salud de su madre, porque no tenía un padre que pudiera asumir el papel de protector. James mostaba sus preocupaciones con frecuencia mediante el juego: un día, construyó una nave espacial poniendo dos sillas del revés. Se introdujo dentro de su nave y se quedó allí en silencio, con aspecto triste. Otro niño acudió a preguntarle qué hacía y James le contestó: «Hago como si mi madre hubiera muerto y yo estuviera solo en el mundo».

A estas edades, el juego y el aprendizaje van de la mano. En los dos ejemplos que acabamos de mostrar, podemos ver que los niños exploran cuestiones reales, utilizando la imaginación y el simbolismo para sentirse más seguros. El que se había portado mal e iba a ser castigado era Henry,

no Lewis. Los sentimientos de James no están tan disfraza-
dos, pero, aun así, sólo fue capaz de expresar sus temores
reales construyendo una nave espacial, quizás para poder
«despegar» si las emociones llegaban a ser excesivamente
abrumadoras.

Una identidad propia dentro de la familia
«¡Soy diferente, soy yo!»

La mayoría de padres se mostrarían de acuerdo si dijéra-
mos que, ya desde el momento de nacer, su hijo demostró
tener características únicas. Hay bebés tranquilos y «fáci-
les» y hay otros que son justo lo contrario y que lloran
constantemente durante los primeros días. Esto afecta al
modo en que los padres se relacionan con el bebé y llegan
a conocerle. Obviamente, si no hay manera de calmar al
bebé y los padres sienten que son un desastre como tales,
la relación es mucho más complicada que si el bebé res-
ponde con alegría y con entusiasmo ante el contacto con
ellos. Sin embargo, a medida que el niño va creciendo, su
identidad cambia y evoluciona, al igual que la relación con
sus padres, ya que todos deben encontrar el modo de encajar en la constelación familiar en constante cambio.
También tiene mucho que ver la posición del niño en la familia, es decir, si ya tiene hermanos mayores o si es el primero, o si va a ser hijo único. A los 4 años, muchos niños
ya deberán haberse adaptado al nacimiento de un nuevo
bebé, y cómo lo hagan dependerá, en gran medida, de la
diferencia de edad entre el niño y el bebé y de la relación
que haya tenido hasta ese momento con sus padres. Los

niños de 4 años asumen mejor que los de 2 la llegada de un nuevo hermanito, porque ya tienen un sentido de la propia identidad más definido. Incluso así, puede que les cueste mucho comportarse como un «niño mayor» para que mamá pueda prestarle toda su atención al nuevo bebé. Puede que, en lugar de comportarse como un niño mayor, regrese durante un tiempo a un estadio anterior, más infantil.

Puede que, en cierto modo, ser el hermano pequeño sea una opción más sencilla, porque no necesitan asumir este gran cambio: el hermano o la hermana mayor ha estado allí desde el principio. Además, los padres ya tienen más experiencia y tienden a tomarse la educación del niño con más calma. Sin embargo, ser el hijo menor también presenta sus complicaciones, porque siempre tendrán a un hermano mayor que ha llegado antes que elllos y que, según creen, siempre parece hacer las cosas mejor. Los inconvenientes de tener un hermano mayor suelen verse compensados con creces por los beneficios de contar con alguien que los ayuda a desarrollar el lenguaje, que les enseña los principios de compartir y del juego cooperativo y con quien pueden aliarse contra los padres de vez en cuando.

El afecto y el amor entre hermanos van de la mano de los arrebatos de ira y de hostilidad. Sin embargo, ¿en qué otro lugar pueden aprender los niños a afrontar las emociones de rivalidad, de competitividad y, en ocasiones, de odio verdadero si no es en el entorno seguro del hogar? Estas experiencias son muy valiosas, porque les proporcionan fundamentos sólidos para poder afrontar luego las inevitables rivalidades que aparecerán en la escuela.

Los hijos únicos lo tienen más complicado a la hora de afrontar este tipo de emociones cuando, en el patio de la escuela, se encuentran por primera vez con el equivalente de la rivalidad entre hermanos. Puede que se sientan muy desconcertados por las emociones fuertes y descarnadas que muestran los otros niños, especialmente si los ven peleándose encarnizadamente un minuto, y jugando tranquilamente al siguiente, como si no hubiera pasado nada.

Molly, una niña de 5 años, hizo un dibujo para «animar» a su madre. Cuando le preguntaron si su madre estaba triste, Molly dijo: «Sí, está muy triste, pero si le hago un dibujo, estará contenta otra vez». La conversación prosiguió, hasta revelar que Molly pensaba que su madre estaba triste porque tenía que trabajar mucho, pero que, al volver de la escuela, podía alegrarla haciendo por ella algo bonito que, como dijo ella, la hiciera «reír de nuevo». Tal y como vemos con Molly, los hijos únicos pueden sentirse muy responsables del estado emocional de sus padres. Al fin y al cabo, no tienen hermanos con quien compartir la carga.

Hay veces en que los padres pueden ver a sus hijos bajo un único prisma, por lo que le convierten, por ejemplo, en el niño listo, malo, tranquilo o melodramático. Puede resultar muy duro para el niño, por el peso de las expectativas, ya sean positivas o negativas, que sus padres han depositado en él. Las expectativas también pueden perpetuarse a sí mismas, porque el niño acaba creyendo que no puede desarrollar otras facetas de su personalidad. Una mujer, ya adulta y madre de dos hijos, se dio cuenta de que volvía a ser una niña «difícil» y «mala» cuando trataba con su hermana pequeña a la que, ya con 2 años, se consideraba la buena de la familia. A Dan, de 5 años, le sucedía lo mismo con su hermano mayor, Ed. Dan tenía muy claro que quería que su hermano mayor fuera el malo y se alegraba cada vez que su madre lo pillaba haciendo algo «malo» y le reñía. Eso le hacía sentir que era bueno y que su madre le querría más. A Dan le daba demasiado miedo mostrar esa parte de sí mismo que lo empujaba a comportarse como Ed, por lo que transfería todas sus emociones negativas a su hermano y así no tenía que sentirlas directamente. Esta manera de funcionar no era saludable para ninguno de los dos niños, pero especialmente para Dan, porque cuanto más reprimía su parte airada, más difícil le resultaba sentirse seguro «no siendo bueno». Por fortuna, este tipo de escisiones tan extremas no son muy frecuentes.

Charlotte y Toby, los hermanos que se peleaban por una bolsa de caremelos al principio del capítulo, padecían las consecuencias de estereotipos intelectuales, más que emocionales. Su madre tenía muy presente lo que ella denominaba «diferencias chico-chica» respecto al rendimiento académico. Según ella, Charlotte ya sabía leer a la edad de Toby; también creía que Toby había aprendido a hablar un poco más tarde que su hermana, pero que, sin embargo, tenía mayor capacidad de concentración que ella y que se le daban mejor las matemáticas. Para su sorpresa, Toby resultó ser el más afectuoso de los dos y buscaba acurrucarse en el regazo de su madre cuando la abrazaba, mientras que Charlotte era más arisca y más difícil de abrazar. La madre aceptó la diferencia entre ambos y la consideró parte de su individualidad y de sus personalidades específicas.

Creo que la madre de Lewis, el niño de 4 años al que vimos jugando con los trenes, lo expresa muy bien cuando describe un recuerdo vívido de sí misma a sus 4 años, en la cocina de su madre. Había estado imitando a una bailarina de ballet, pero tropezó y se cayó. Su madre la recogió del suelo y la consoló, diciéndole: «Eres como yo, siempre tropezando». La madre de Lewis recuerda haber pensado entonces: «Yo *no* soy como tú. Soy diferente. ¡Yo soy yo!».

Desarrollo emocional

«¡Quería hacerlo yo sola!»

Los niños de 4 años, al igual que los bebés, necesitan que su madre (o su cuidador principal) entienda sus distintos estados emocionales y los ayude a tolerarlos. Aunque a esta edad el niño ya puede utilizar el lenguaje hablado para expresarse, hay momentos en los que se sentirá abrumado por emociones que no puede afrontar solo. A pesar de todo, los padres no pueden acertar siempre y habrá ocasiones en que se equivocarán y el niño pensará que nadie le comprende. No es raro ver a un niño de 4 años presa de una rabieta, como las que tenía a los 2 años. Lo más probable es que le dé bastante miedo haber perdido el control de tal modo.

Si su hijo puede hacerle saber cómo se siente en esos momentos y mostrar su enfado con el mundo abeirtamente, es porque se siente seguro expresando esos sentimientos, por muy exasperante que le resulte a usted. Puede aferrarse a la convicción de que le quieren lo suficiente y de que le seguirán queriendo, a pesar de su furia. No podrá echar a perder una relación que es, en esencia, positiva.

Jade, una niña de 4 años, jugaba con su hermana de 6 años en su tobogán de interior. Justo cuando Jade estaba a punto de deslizarse por el tobogán, su hermana le dio un empujoncito en la espalda. Jade gritó, llegó al suelo, se derrumbó y siguió sollozando y aullando. Era una reacción absolutamente desproporcionada: no había sido más que un empujoncito. Su madre acudió para averiguar qué había sucedido, pero, al principio, Jade fue incapaz de articular una sola palabra, por la ira que sentía hacia su hermana. La madre se aseguró de que Jade no se había hecho daño y luego se puso manos a la obra, para descubrir por qué se había enfadado tanto y le hizo numerosas preguntas del tipo: «¿Es porque…?» y: «¿Tú te has sentido…?». Al final, Jade recuperó la capacidad de hablar y dijo claramente, aunque todavía entre sollozos: «No quería que Leanne me empujara. Quería hacerlo yo sola». Entonces, Leanne explicó que había querido que fuera más rápido. La madre le pidió a Leanne tranquilamente que se disculpara, cosa que hizo. Los gritos y los sollozos podrían haber durado mucho más tiempo, si Jade no hubiera sentido que su madre estaba de su parte y que realmente quería saber qué había sucedido.

Lo último que quieren ver los padres al final de un día agotador son arrebatos de ira y de agresividad, pero las alternativas son o bien que el niño reprima tanto las emociones que ya no tenga que sentirlas (es lo que sucede cuando vemos a un niño excesivamente bien educado y amable) o bien que se libere de su ira y de su frustración «transfiriéndolas» a otras personas. Ya hemos visto cómo Dan no podía tolerar sentir que era malo, por lo que transfería toda su «maldad» a su hermano mayor. Es muy frecuente que los niños se liberen de emociones intolerables de este modo. Los niños que sufren acoso o burlas en la escuela suelen burlarse de sus hermanos pequeños y maltratarlos cuando llegan a casa, para que sientan las mismas emociones horribles que han tenido que sentir ellos antes. En casa por fin hay otro que puede sentirse pequeño e indefenso, en lugar de él.

Cuando un niño intenta reprimir sus emociones suele encontrarse con que esas emociones acaban expresándose de algún modo u otro a través de su cuerpo. Dan, que ponía tanto empeño en parecer bueno y en mostrar a su hermano como el malo, iba muy restreñido y, a lo largo del día, soltaba muchos gases. Como se contenía tanto a nivel emocional y transfería sus emociones a su hermano Ed, su organismo acabó padeciendo las consecuencias. Se sentía muy mal por el hedor que despedía, porque le recordaba constantemente las emociones desagradables de las que no conseguía librarse. Cuando finalmente conseguía ir al lavabo, le resultaba extremadamente doloroso. Sin embargo, lo que más le dolía no era el cuerpo, sino la convicción de que, por mucho que sus padres le aseguraran lo contrario, tenía algo dentro tan destructivo que si lo dejaba salir, todos verían lo malo que era en realidad. Creía que su madre ya no le querría si se daba cuenta de lo malo que era por dentro. Dan necesitó ayuda profesional para resolver su conflicto emocional.

Los sueños y las pesadillas son otro de los modos en que los niños procesan los sentimientos hostiles que han logrado contener a lo largo del día. Alex era un niño muy tranquilo que parecía ser capaz de aceptar todo lo que le iba pasando. Tenía muchos amigos y le iba muy bien en la escuela. Pero las noches eran otra historia y mostraban lo ansioso que se había sentido sentido durante el día, aunque, a juzgar por su aparente jovialidad, nadie lo hubiera dicho. Solía tener pesadillas sobre aviones que chocaban o sobre hombres enfurecidos que le perseguían. Su madre explicó que, una noche, le costó muchísimo convencerle de que no tenía un lobo a los pies de la cama. Puede que el hecho de que su madre hubiera vuelto a trabajar a jornada completa, ahora que él se quedaba en la escuela todo el día, le hubiera hecho sentir con más fuerza que no estaba junto a ella. Ya no podía recurrir a la imagen habitual de lo que su madre podía estar haciendo mientras esperaba que volviera a casa. La preocupación sobre su madre y el bienestar de la misma en un lugar que no podía ni imaginarse probablemente aumentó su ansiedad. Puede que también se tratara de demostraciones de ira hacia ella por haber vuelto a trabajar, algo que no podía expresar abiertamente durante el día, pero que surgía de repente durante la noche. Lo cierto era que conseguía atraer a su madre hasta la cama para calmarle, en mitad de la noche.

Puede que, a esta edad, su hijo desarrolle de repente un miedo excesivo a objetos o animales determinados. De algún modo, es más fácil asustarse de un araña que puede verse y tocarse —o, preferiblemente, no tocarse, sino evitarse— que sentir miedo y ansiedad por algo que no podemos nombrar. Un niño de 5 años, Charles, empezó a tener miedo de las arañas de repente. Sus padres dijeron que les parecía que sucedió después de ver un programa sobre la naturaleza en televisión, durante el que pudo ver un primer plano de las arañas tejiendo sus redes. Había visto el documental con su abuela, la primera vez que se quedó a dormir en su casa. De hecho, Charles estaba muy nervioso porque sus padres le habían dejado dormir en una cama que no era la suya y en una casa que no conocía demasiado bien. No lo dijo abiertamente y, de hecho, les había rogado a sus padres que le dejaran dormir allí, a pesar de que a ellos no les hacía demasiada gracia. Cuando los padres fueron a buscarle por la mañana, les pareció que estaba apagado y más callado de lo habitual. En el coche, de camino a casa, le preguntaron si se lo había pasado bien, pero de lo único que pudo hablar fue de cuando la abuela fue a darle un beso de buenas noches y de los «horribles pelos de pincho» que tenía en la barbilla. Ese beso había enfatizado las diferencias entre su abuela y su madre, cuyos besos de buenas noches eran extremadamente suaves. Echó entonces de menos su beso habitual y la separación de su madre se le hizo más acuciante. Empezó a pensar que sus padres quizás ya no volverían a buscarle o que les había pasado algo horrible. Todos estos miedos, más profundos, se mezclaron con la sensación de los «horribles pelos de pincho» de la barbilla de su abuela que, probablemente, le recordaron a esas arañas peludas que había visto en televisión. Pocos días después, vio una araña de verdad y empezó a gritar descontroladamente. Sus padres se dieron entonces cuenta de la intensidad de su miedo, aunque tardaron un poco más en relacionar ambas cosas. Puede parecer extraordinario que Charles desplazara de un modo tan melodramático la ansiedad subyacente acerca de perder a sus padres sobre una fuente de miedo tan común.

Todos tenemos nuestros modos de protegernos de emociones demasiado intensas que pueden llegar a sobrecogernos, del mismo modo que Charles se sintió sobrecogido por la preocupación de verse separado de sus padres. Lo que necesitan los niños de 4 o 5 años es alguien que los escuche y los comprenda, alguien a quien puedan contarle sus miedos sin que se ría de ellos o les diga que no sean tontos, sino que les ayude a determinar qué es lo que puede haber provocado el problema. Intentar averiguar lo que sucede ya resuta útil, incluso aunque no se consiga, del mismo modo que una madre intenta descubrir por qué llora su bebé sin llegar siempre a saberlo con seguridad.

2

La escuela
y el mundo exterior

Empezar en la escuela

«Me puse muy triste cuando mamá se fue.»

Aunque el niño haya ido a la guardería o haya participado en grupos de juego desde los 3 años, empezar en la escuela sigue siendo un gran paso adelante. Tiene que asumir ciertas pérdidas, así como todo lo que gana por el hecho de que a partir de ese momento se le considere «un niño mayor». Deja de ser bebé, pierde la relación especial con sus padres, se separa a diario de ellos, lo que le resulta especialmente difícil si tiene un hermano más pequeño que aún se queda en casa y esa sensación de omnipotencia, es decir, la creencia de que puede controlarlo todo como por arte de magia, desaparece. A los padres también les puede resultar muy difícil separarse de su hijo, especialmente si se trata del bebé de la familia. No es raro que sea la madre la que acaba llorando a la puerta de la escuela todas las mañanas, mientras su hijo le da la espalda tranquilamente y se dirige a la escuela con alegría.

Los niños deben acostumbrarse a ser uno más entre muchos, con las mismas exigencias y necesidades que los demás, lo que quiere decir que deben compartir tanto a la maestra como a los juguetes y, por tanto, deben aprender a esperar su turno. El modo cómo afronten este período dependerá, en parte, de la experiencia que hayan tenido con su cuidador o cuidadora principal durante los primeros cuatro años de su vida. Si sienten que se han entendido y atendido sus temores y sus preocupaciones, habrán interiorizado una imagen de su padre/madre que, en general, será de bondad y de amor. También les habrán proporcionado las bases de un código moral (superego), que les permitirá saber qué está bien y qué está mal, a pesar de que no siempre serán capaces de poner en práctica ese conocimiento. Todo esto les ayudará a sentirse apoyados y seguros bajo presión, al tiempo que les proporcionará la seguridad necesaria para arriesgarse y experimentar y probar cosas nuevas. Por lo tanto, si todo va bien, disfrutarán de la concepción que tengan de sí mismos en un mundo más amplio, aunque durante un tiempo seguirán necesitando regresar a un hogar donde no siempre tengan que comportarse como niños ya mayores y capaces de controlarse.

En una escuela de primaria de Londres, preparaban gradualmente a los niños de preescolar para la transición a primero el curso siguiente. La clase de preescolar tenía su propio patio vallado, que compartían con la sección de guardería de la misma escuela. Durante el último trimestre, empezaban a llevar a los niños al patio de los mayores, primero durante cortos períodos de tiempo y, luego, en el último mes, durante toda la hora del patio.

Lo más destacable del primer día de la transición al patio de los mayores era el aspecto vulnerable que de repente adquirían los niños al compararlos con los mayores, especialmente con los de 11 años, que parecían gigantes, alborotando, gritando y corriendo de un lado para otro. Los niños de 4 y de 5 años parecían perdidos y desconcertados; estaban acostumbrados a ser los mayores en la guardería, donde estaban con los niños de 3 años y, ahora, volvían a ser los más pequeños. Tendían a permanecer todos juntos y muchos de ellos se quedaban junto a la valla de su patio, esperando que sonara el timbre que les indicara que podían volver al otro lado, donde se sentían a salvo y en terreno conocido. Uno de los niños le dijo a otro: «Vamos a convertir el Jardín Tranquilo en nuestra casa. Vamos, allí estaremos seguros». Ambos salieron corriendo hacia un área cerrada, cerca de su patio pequeño.

Cualquier tipo de transición despertará emociones de períodos mucho más tempranos, llegando incluso al destete o a la sensación de abandono por el nacimiento de un hermano. Robbie lo demostró cuando la transición al patio de los mayores ese primer día le recordó el miedo que sintió el primer día e clase, hacía ya casi nueve meses. Hablaba, pero se negaba a abandonar su sitio junto a la puerta que separaba el patio de los pequeños del de los mayores. Contó lo asustado que se sentía por estar «con los grandes» y que lo único que quería era volver a su patio. Entonces recordó su primer día de escuela, cuando «sólo tenía 4 años» y «quería que mi mamá se quedara conmigo y me puse muy triste cuando se fue, pero no lloré». Robbie sentía que necesitaba mucho a su madre en ese momento, porque acababa de caerse en el asfalto de la pista del patio y se había hecho unos rasguños en las manos. Dijo que había «intentado seguir a James, pero que corría muy rápido». Pareció un símbolo de su lucha entre querer seguir a salvo en la guardería, donde no le quedaría espacio para desarrollarse y cambiar, y crecer, con el riesgo de hacerse daño y de no poder seguir al resto.

Cuando aquel día volvieron a llevarles a su patio, para terminar la pausa, los niños pequeños se mostraron más atrevidos y animados, porque volvían a encontrarse en terreno conocido. Corrían de un lado a otro, animadamente, pedaleaban con fuerza en las bicicletas y en los triciclos, evitando por los pelos chocar entre ellos. El nivel de ruido aumentó considerablemente: imitaban la conducta de los mayores en el otro patio.

A medida que fueron pasando las semanas, la mayoría de niños fueron sintiéndose cada vez más seguros en el patio de los mayores, y cada vez era más difícil encontrarlos inmediatamente entre el resto de niños. Aunque seguían tendiendo a mantenerse juntos, de vez en cuando hacían incursiones en la zona del patio que antes estaba reservada a los mayores. Los niños que tenían hermanos mayores en la escuela lo tuvieron más fácil, al igual que los que no eran nativos de Gran Bretaña y encontraron a niños mayores de sus mismos países. En esta escuela de primaria había varios niños coreanos y las niñas coreanas de 10 u 11 años buscaban a los dos coreanos de 5 para acariciarles el pelo y mimarles, como si fueran muñequitos.

Sobre todo les gustaba jugar a pillar y gritaban: «A que no me pillas cara de papilla» o «No me pillarás». Varias de las niñas mayores se unieron al juego y se juntaron para mantener a los niños pequeños (muy pocas de las niñas pequeñas jugaban a pillar) dentro del espacio cerrado del Jardín Tranquilo, que rebautizaron como «La Cárcel». Las niñas hacían guardia frente a la entrada y volvían a meter dentro a los niños que querían salir. Cuanto más bruscas eran las niñas, más parecían disfrutar ellos. Jugaban durante casi toda la hora del patio y lo hicieron durante muchos días. Cada día, a la misma hora, justo antes de que sonara el timbre, cambiaban las posiciones y los niños pequeños conseguían atrapar a las niñas, aunque era evidente que ellas se dejaban cazar. Es posible que las niñas de 10 y 11 años dejaran que los niños más pequeños experimentaran lo que se sentía al ser mayor, fuerte y masculino: en otras palabras, al ser como los niños de 10 años en que iban a convertirse pronto, sin el riesgo de poder asustar y ganar a las niñas en realidad.

Algunos de los niños de 4 y 5 años aprendieron a jugar en el parque, que tenía una escalera de cuerda y una barra de bombero. Desarrollar sus habilidades físicas les ayudó a adaptarse a la parte de la escuela de los mayores. Empezaron a hablar de cómo sería después de las vacaciones de verano, cuando empezaran primero. Aunque el cambio aún les producía algún temor, también les producía cierta alegría. Sin ambargo, les resultaba mucho más difícil imaginarse dejar a su profesora atrás y Amy dijo esperanzada: «Seguro que viene con nosotros. No nos dejaría, ¿a que no?».

Tender puentes entre el hogar y la escuela

«Cuando llegue a casa, mi mamá me hará un pastel especial.»

Algunos niños, cuando están en la escuela, necesitan algo más concreto que les recuerde a sus padres, tal y como hemos visto con Ben, que necesitó que la profesora le sentara en su regazo para ayudarle a establecer un vínculo entre la escuela y su hogar. Los libros pueden resultar muy útiles para ello: el niño puede llevarse a clase uno de los libros que sus padres le hayan leído en voz alta para poder sentir que se los lleva con él a la escuela. Nick se llevó un libro sobre monstruos horribles, que su profesora leyó en voz alta a toda la clase. Era muy divertido y todos rieron mucho con las rimas y con el lenguaje un tanto grosero (que tanto les gusta a los niños de este grupo de edad). Cuando la clase fue a los vestuarios para cambiarse para la hora de juegos, hablaron mucho de cual era el monstruo favorito de cada uno y repitieron algunas de las palabras del libro para describirlos. Nick no cabía en sí de orgullo. Le dijo a Ben que no le importaba dejarle el libro durante un día, porque «mamá me lo leyó ayer y antes de ayer, así que aún me acuerdo».

La mayoría de profesores de preescolar aceptan de buen grado la necesidad que tienen los niños de traerse de casa algunos de sus juguetes o de sus libros favoritos, o de establecer vínculos entre lo que sucede en la escuela y lo que sucede en casa. Los niños de una clase de preescolar tenían la oportunidad de hablar de lo que hacían en casa depués de pasar lista por la tarde. Después de decir: «Buenos días, señora Walker», algunos de los niños explicaban espontánemante lo que había sucedido o iba a suceder en sus casas. Lo que contaban iba desde: «Hoy James vendrá a jugar a casa y mamá hará unos pasteles especiales» a, con menor frecuencia: «El sábado, papá y yo conocimos a David Beckham».

A esta edad, los niños ya han adquirido el lenguaje oral, lo que les permite evocar la imagen de sus padres; pueden sentirse cerca de ellos simbólicamente, mediante las palabras, en lugar de necesitar su presencia física. Resulta sorprendente la cantidad de información sobre los padres que ofrecen a lo largo del día en la escuela. Algunos ejemplos típicos son: «Hoy viene a recogerme mi abuela, porque mamá tiene que trabajar hasta tarde», «Mi papá tiene la piel de la cara muy seca y tiene que ponerse una crema especial» o «A mi mamá no le gustan los caracoles y dice que nunca más los volverá a comer». Hay veces en que expresan deseos y transmiten la creencia que su madre y su padre quieren hacer cosas por ellos. Sophie dijo: «Creo que iremos a la playa de vacaciones, pero papá y mamá aún no me han dicho nada. Me parece que quieren darme una sorpresa».

No es necesariamente malo que los niños deban acostumbrarse a la diferencia entre relacionarse con unos padres con quienes tienen una experiencia compartida y hacerlo con una profesora que no sólo no les conoce tan íntimamente, sino que, además, tiene otros veinte niños a los que atender. Quiere decir que su hijo tendrá que encontrar la manera de ser más explícito y que, a veces, tendrá que arreglárselas solo o confiar en que sus amigos le ayuden a entender las cosas. Los niños descubrirán que están en un entorno donde pueden aprender las cosas de modo distinto y donde tendrán que aprender maneras diferentes de expresarse. Es muy frecuente que, cuando los niños vuelven a casa de la escuela, respondan a la pregunta de su madre: «¿Qué habéis hecho hoy en clase?» con una única palabra: «Nada». Ciertamente, puede resultar muy frustrante para los padres, pero puede que para el niño la verdadera respuesta sea: «De todo, ¡pero es muy difícil explicarlo!». Hay un libro para niños (por desgracia ya agotado) titulado *Little Raccoon and the Outside World* que trata, con sensibilidad y sentido del humor, sobre esta diferencia, es decir, sobre el mundo conocido, de casa y de la madre, y el mundo exterior, desconocido y distinto.

El principio de la amistad
«¿Puedo venir yo también?»

La transición a la escuela «de verdad» suele ser más fácil si el niño puede ir con un amigo de preescolar. Hay veces en que no puede ser, porque van a escuelas distintas y entonces deben hacer nuevos amigos. A algunos se les da mucho mejor que a otros; les resulta más fácil si son extrovertidos y están seguros de sí mismos, aunque parece que son los niños más tímidos los que más se benefician de las amistades, porque las utilizan como escudo ante el resto del mundo. Lo más interesante es que, al igual que nos sucede a los adultos, los niños se sienten atraídos por aquéllos que se les parecen de algún modo. Por lo tanto, los niños tímidos suelen acabar juntos, al igual que los que disfrutan saltándose las normas y asumiendo riesgos.

Cuando llegan a primero de primaria, los niños empiezan a preocuparse por sus amigos de otra manera. En general, quieren resolver los conflictos que vayan apareciendo, mientras que, cuando se trata de los hermanos, o bien no lo desean o bien no les importa mucho. También empiezan a desarrollar un código moral sobre la conducta que deberían tener con los amigos, que difiere extraordinariamente del comportamiento que tienen con los hermanos: «¡A ella sí que puedo cogérselo! Sólo es mi hermana», excalamaba un niño de 5 años que afirmaba sin titubear que nunca le cogería un juguete a su amigo (véase Dunn, 2004).

Resulta sorprendente que a esta edad tan temprana los niños entiendan cómo se sienten sus amigos, por qué pueden estar tristes y lo que puede consolarlos. Un día de lluvia, una niña pequeña, Priya, estaba de pie en el patio, enfadada porque su madre se había olvidado de darle el impermeable. Le habían dejado el de otro niño para la hora de la comida. Priya permaneció completamente inmóvil y triste, como si estuviera paralizada por la vergüenza de no tener su propio impermeable y también, quizás, de que su madre se hubiera «olvidado» de dárselo. ¿Quería eso decir que también se había olvidado de ella, Priya? También aparecían temas culturales, porque Priya era india y su familia sólo hacía un año que vivía en Gran Bretaña. Quizá Priya se sintiera abrumada al pensar que su madre no entendía el modo de vida británico, simbolizado en el hecho de que se hubiera olvidado de lo más británico de todo: un impermeable. Su mejor amiga, Jodie, se empeñaba en que se uniera a su grupo para jugar, pero Priya no se movía. Al principio, Jodie lo intentó diciéndole a Priya que le había guardado un sitio y que la esperaba. Entonces dijo: «Ven, por favor, Priya». Como la respuesta seguía siendo el silencio absoluto, Jodie suspiró y le preguntó: «¿Es que estás triste?». Priya asintió. «¿Estás triste por el impermeable?» Priya asintió de nuevo. Un minuto después, Priya salió corriendo hacia Jodie y jugó hasta que terminó la hora de comer. El sincero deseo de Jodie por entender lo que le pasaba a su amiga ayudó a Priya a desbloquearse y le permitió jugar despreocupadamente.

Cuando están con amigos, los niños pueden jugar a toda clase de juegos simbólicos en los que a menudo comparten sus miedos escenificándolos con la tranquilidad de que, al estar en compañía, no sentirán tanto miedo. También pueden compartir el entusiasmo, muchos juegos emocionantes y todo lo que les puede hacer reír cuando están juntos. James, el niño de 5 años al que conocimos en el capítulo 1, jugaba a que su madre había fallecido y que él se había quedado solo en el mundo. Robbie, su amigo, le vio y le preguntó con dulzura si podía quedarse con él y hacerle compañía. Ambos niños pasaron del espeluznante pensamiento de estar solos y huérfanos a ser compañeros en una emocionante aventura en el espacio exterior.

Los niños pueden llegar a sentirse muy desvalidos si sus amigos no están en la escuela, como demostró Molly un día que su amigo, Adam, faltó a clase. Dijo que no sabía por qué no había venido, que quizás estaba enfermo. Lo dijo con tristeza, pero se animó cuando se le ocurrió hacerle un dibujo de un coche de carreras, porque a él le gustaban mucho, aunque a ella no. Así se sentiría mejor.

Seguro que le gustaría el dibujo. Parecía que Molly intentaba animarse a sí misma, pensando en hacer algo por él, algo especial que le permitiera sentirle más cerca. Es la misma Molly que antes quiso hacerle un dibujo a su madre para que se sintiera mejor.

Empezó a dibujar el coche de carreras y añadió que cuando Adam no estaba, se sentía muy sola a la hora de comer, porque le gustaba. Entonces, dijo entre risas: «Le quiero y, a veces, le persigo por el patio y cuando le pillo, le doy un beso. A veces le pillo y a veces no, aunque normalmente él corre más rápido». Parecía que lo que realmente le importaba no era el juego de pillar y besar, viejo como el mundo, sino el hecho de que Adam no estaba allí para establecer ese tipo de relación con ella, es decir, una persecución emocionante que unas veces acababa en beso y otras no. Lo único que le quedaba a Molly era la ansiedad que le producía pensar que Adam pudiera estar enfermo.

La identidad más allá de la familia

«Señorita, señorita, James no ha guardado sus cosas.»

Hasta cierto punto, el niño se lleva a la escuela la identidad que se haya formado en el seno de su familia. Su conducta en casa y la interacción con los miembros de su familia serán similares a cómo se comporte con los compañeros y con las figuras de autoridad, a quienes trata como si fueran sus hermanos y sus padres, respectivamente. Sin embargo, esto no es todo, porque la escuela les proporciona la oportunidad de contraponer lo que saben acerca de sí mismos a la realidad de personas que no son ni sus hermanos ni sus padres y que pueden reaccionar de un modo distinto a como lo hacen ellos. Por ejemplo, si un niño está acostumbrado a que sus padres satisfagan todas sus exigencias porque tienen miedo de sus rabietas o porque no pueden soportar frustrarle, se sorprenderá muchísimo cuando, en la escuela, su conducta no obtenga los mismos resultados.

En ocasiones, uno de los niños se convierte en el chivo expiatorio de todas las emociones negativas de sus compañeros, que quieren deshacerse de ellas. Éste es el caso de Dan, a quien conocimos en el capítulo 1 y que utilizaba a su hermano mayor, Ed, para librarse de todas sus emociones negativas. Archie, que acababa de cumplir los 5 años, se encontraba en esa situación. Cuando en clase había cualquier alboroto, todas las miradas se dirigían hacia él. Al cabo de poco tiempo, todos esperaban que él fuera el culpable de todo y, lo más triste, es que Archie empezó a actuar en consecuencia, siendo, de verdad, el niño que distraía a los demás o que molestaba cuando la profesora explicaba algo. Un día, la maestra les preguntó quién podría andar tranquilamente por el pasillo sin hablar: casi toda la clase levantó la mano con ganas, excepto Archie. Parecía que pensaba que no era capaz de comportarse de manera aceptable. Intentó encontrar el modo de escapar de la situación yendo con chismes a la profesora: «Señorita, señorita, James no ha guardado sus cosas, como usted le ha pedido», o «Señorita, mire lo que ha hecho Sophie, ha roto la página del libro». Ese comportamiento, sin embargo, no hizo más que aumentar la animadversión de los demás hacia él. Afortunadamente, la profesora no entraba al trapo ni cuando el resto de niños culpaba a Archie ni cuando Archie le contaba chismes. Esto le proporcionó a Archie una experiencia diferente de lo que sucedía en casa, donde su madre, que luchaba por sacar adelante ella sola a una familia numerosa teniendo al mismo tiempo que trabajar, recurría a veces a lo más fácil: culparle. Y, al igual que pasaba en la escuela, solía ser Archie el que se metía en problemas.

Es parecido al encasillamiento que a veces se da en las familias, es decir, cuando se considera que uno de los niños es difícil o malo, éste piensa que, ya puestos, lo será. Suele ser una profecía autocumplida. Y es aquí donde la escuela y el mundo exterior pueden desempeñar un papel muy importante para un niño al que se ve, y que aprende a verse, bajo un prisma determinado. Con suerte y con adultos sensibles, tendrá la oportunidad de obtener resultados distintos con su conducta.

Juego cooperativo
«Le dibujaré un amigo a tu fantasma.»

A esta edad, los niños pasan de jugar solos, los unos junto a los otros, a establecer un juego más cooperativo: se han dado cuenta de que si trabajan juntos, pueden obtener algo distinto. Por supuesto, siempre hay niños que quieren dirigir lo que sucede, otros que prefieren seguir a los líderes y, aún otros, que prefieren seguir jugando solos. Sin embargo, en general, los niños se muestran más dispuestos a empezar a compartir ideas y a combinarlas para construir algo mejor que lo que habrían conseguido si hubieran seguido solos.

En la hora del patio de la clase de preescolar, había un grupo de tres niños sentados alrededor de un dibujo. Dos de los niños retocaban lo que había empezado el tercero, Farid, que se contentaba con mirar y dejar que los demás asumieran el control. Los tres comentaban animadamente lo que cada uno de ellos aportaba al dibujo, que mostraba un avión volando muy alto en el cielo. Robert dibujó nubarrones negros y rayos que caían del cielo y Theo empezó a dibujar grandes gotas de lluvia, que, según él, bajaban desde el cielo hasta el suelo. Farid se reincorporó y dibujó un fantasma verde en la esquina inferior derecha del papel. Entonces, Robert le dibujó un amigo fantasma de otro color. Comentaron si era posible que los fantasmas se mojaran por la lluvia o que les alcanzara un relámpago. Siguieron hablando sobre el dibujo, atrapados en lo dramático de la imagen. Cuando fue la hora de sacar la hoja del caballete para ponerlo en la bandeja de cosas para llevar a casa, no hubo discusión sobre de quién era el dibujo. Farid lo había empezado, así que se lo llevaría a casa para enseñárselo a su madre.

Una niña de 5 años hacía resbalar los pies sobre la base de una canasta de baloncesto. Decía: «Mis pies están muy contentos, porque me van a comprar zapatos nuevos. Mira, se deslizan y no hay quien los pare». Se le unió otra niña que, sin hacer ni una pregunta, se subió a la base y empezó también a hacer resbalar los pies. Las dos siguieron haciéndolo y se pusieron a hablar de zapatos, lo que las condujo a charlar sobre sus familias (una era japonesa y la otra, india) y sus países de origen. Durante todo el tiempo, los cuatro pies no dejaron de moverse al unísono.

Competitividad
«Mi cohete vuela más rápido que el tuyo.»

Por mucho que deseen jugar de un modo cooperativo, los niños, especialmente cuando se trata de hermanos, pero también cuando son simplemente amigos, pueden acabar convirtiendo el juego en una rivalidad competitiva. Los niños de estas edades pueden estar ansiosos acerca de su identidad y del lugar que ocupan en la escuela. La manera más rápida de que dispone un niño para sentirse superior a los demás y para librarse de los terribles sentimientos de insignificancia y de pequeñez es implicar a los padres. Por ejemplo, puede decir algo sobre ellos que demuestre que son mejores (o más ricos o más listos) que los de cualquier otro.

La siguiente conversación que mantuvieron tres niñas de 5 años en una escuela de primaria muestra una versión bastante benigna de cómo intentan quedar los niños por encima del resto:

ROSIE: Dos gatos han entrado en nuestro jardín y han arrancado las plantas.

VICKY: Bueno, nosotros siempre tenemos gatos en el jardín y esparcen toda la basura.

JUNKO: ¡Bueno! A *nuestro* jardín vienen zorros y esparcen toda la basura. Y mamá y papá se enfadan mucho, porque tienen que limpiarlo todo.

ROSIE: Un zorro vino a nuestra *cocina* y se sentó. Mamá le tiró un plato, pero era de papel y no se rompió. ¡Y el zorro se quedó durante días y días!

Lo que había empezado como un intercambio de información interesante en el que Rosie asumía un papel adulto (incluso soltó un suspiro de expasperación) pasó rápidamente a convertirse en algo tan exagerado que resultaba difícil discernir entre la realidad y la fantasía. Rosie habló de tal modo que hizo callar a las otras dos, porque no pudieron superar la historia del zorro que entró en la cocina; además, la información sobre la madre tirando un plato de papel añadía un toque de realismo que dificultaba no creérselo. En este caso, ganó Rosie, que era la que había empezado la conversación. En el ejemplo anterior, donde Farid, Robert y Theo cooperaban para acabar el dibujo que había empezado Farid, el deseo de quedar primero estaba ausente.

Hay veces en que los niños de esta edad no necesitan hablar de sus padres, porque son muy buenos creando situaciones del tipo «es mejor/más rápido/más fuerte que el tuyo» ellos solos, de nuevo de manera competitiva, pero amistosa. Dos niños jugaban en el patio con ladrillos de construcción y competían con los cohetes que habían construido. La conversación era algo así:

TOM: Mi cohete puede ir a cien billones de trillones de kilómetros.

KIERAN: Bueno, pues mi cohete puede ir detrás [sic] del sistema solar y volver.

TOM: Pues el mío pude ir detrás del sistema solar y atravesar el metal.

KIERAN: Pues *mi* cohete puede hacer todo eso y atravesar... ¿Qué es más duro que el metal?

Siguieron así durante bastante tiempo, intentando superarse el uno al otro, pero el juego era bastante bienhumorado y al final decidieron juntar los cohetes para ir «más lejos que a cien billones de trillones de kilómetros». Estos niños eran amigos y tenían un carácter muy parecido. Obviamente disfrutaban compitiendo para ver quien era más listo y quién sabía más del mundo, al tiempo que se divertían.

La competitividad forma parte del proceso de crecimiento de este grupo de edad y, siempre que se ponga en práctica de forma amistosa, no hay nada malo en ella. Sin embargo, si un niño no tiene clara su valía, la competitividad puede volverse desagradable, porque intentará reforzar su ego a costa de hacer sentir a los demás más pequeños e insignificantes que él.

3

Desarrollo social

La realidad y la ficción

«Hola, cariño, ya estoy en casa.»

A esta edad, la mayoría de los niños ya disciernen con claridad entre la realidad y la ficción. Los niños de entre 4 y 5 años suelen jugar en grupo a ser mayores y adoptan indentidades que les permiten comprender cómo se comportan los adultos en el mundo real. En ocasiones admiten que están interpretando un papel y se reparten las identidades, diciendo, por ejemplo: «Tú serás la mamá/la princesa/el médico y yo seré papá/el príncipe/el enfermo». Otras veces, se limitan a seguir lo que parece ser un guión preestablecido y todos los niños se integran naturalmente en la historia que respresentan. No cabe duda ni del papel que adoptó Ronnie, un niño de 5 años, ni del que quería que adoptara su amiga, cuando entró en la casita de juguete, diciendo: «Hola cariño, ya estoy en casa. ¿Dónde están los niños? Les he traído chocolate. ¡Lo he robado en una fábrica de chocolate!». Su amiga se convirtió en la esposa inmediatamente, cogió una muñeca y dijo con un tono de voz exagerado: «Se ha portado *muy* mal, no se merece el chocolate. Lleva todo el día voviéndome loca». Y le dio a la muñeca un buen azote en el trasero.

Al igual que Ronnie, que sabía que no era ni un padre adulto ni un ladrón, sino un niño de 5 años, la mayoría de niños saben perfectamente quiénes son en realidad y utilizan este tipo de juegos para ver cómo se sienten en la piel de una persona dispuesta a llevar a cabo acciones prohibidas, como robar en una fábrica de chocolate. Los niños que corren de un lado a otro diciendo que son Superman disfrutan de la sensación de ser omnipotentes y de poder hacer cosas mágicas, como volar, pero pronto vuelven a poner los pies en el suelo, cuando necesitan hacerlo.

Incluso cuando el niño tiene un amigo imaginario al que el resto de la familia debe tratar como a una persona real —por ejemplo, poniéndole un plato en la mesa— sabe perfectamente que se ha inventado a su amigo, por mucho que insista en lo contrario.

Uno de los juegos simbólicos que ha conservado su popularidad a lo largo de generaciones es aquel en que uno de los niños se convierte en el malo que se dedica a capturar a víctimas inocentes. Por supuesto, al igual que las madrastras malvadas aparecen con frecuencia en los cuentos de hadas, también lo hacen las brujas malas. Hay una línea contínua desde *Hansel y Gretel*, de los hermanos Grimm, al verdaderamente terrorífico *Las brujas*, de Roald Dahl, en el que, como afirma Dahl con regocijo, incluso la propia madre o la maestra podría ser una bruja. Un grupo de alumnos de primero jugaba a este juego durante la hora del patio y resultaba sorprendente la facilidad con que algunos niños asumían las funciones de bruja/malvado y otros, las de víctimas. A pesar de que los niños y niñas se turnaban para ser la bruja, había una niña, Carla, a quien le costaba ser una víctima convincente. Sin embargo, era obvio que le encantaba mostrarse feroz y aterradora. Cuando hacía de bruja, su voz se convertía en un gruñido espantoso y sus ojos parecían refulgir de ira. Las dos niñas a las que acababa de atrapar parecían asustadas de verdad. Hacían como que estaban atadas en una jaula y permanecían sentadas, con las manos sobre la cabeza y los ojos bien cerrados, sin hablar ni moverse mientras Carla, la bruja, corría de un lado a otro buscando más víctimas. Sin embargo, cuando un adulto preguntó a las dos niñas qué hacían, contestaron tranquilamente: «Jugamos a que nos ha pillado la bruja». Cerraron los ojos de nuevo y no dijeron ni una palabra más. Cuando le tocó a otra niña ser la bruja, Carla se mostró reacia a que la cogieran y, aun entonces, se negó a sentarse con los ojos cerrados y las manos sobre la cabeza. Lo más interesante es que la niña que hacía de bruja no tardó en perder el interés en intentar cazar y encarcelar a los demás. Del mismo modo que Carla asumió de manera natural el papel de bruja, esta niña se sentía cómoda siendo la víctima. Cuando le tocó ser la bruja, se limitó a deambular, como si hubiera olvidado quién debía ser y el juego se acabó. Incluso a estas edades tan tempranas, los niños parecen encontrarse más cómodos en unos papeles que en otros, es decir, siendo la víctima o el malo. No es muy frecuente verles intercambiar las identidades con facilidad.

Los problemas aparecen si el niño empieza a intentar vivir en un mundo imaginario porque el mundo real le parece demasiado peligroso y aterrador. Aunque hay veces en que puede resultar útil ser capaz de escaparse a un mundo «irreal», donde poder identificarse completamente con otros personajes (cosa que todos hacemos cuando leemos narrativa de ficción y nos sumergimos completamente en la historia), hay niños que pueden sentirse más seguros permaneciendo allí porque la realidad les resulta intolerable, por el motivo que sea. Normalmente, no se trata más que de una fase pasajera, provocada por algún factor externo que el niño no puede asumir en ese momento, como un fallecimiento, el nacimiento de un hermanito o cualquiera de las muchas cosas que pueden hacerle daño y que se ve incapaz de afrontar. La única solución para él, por tanto, es evadirse.

El desarrollo de la curiosidad

«¿De dónde vienen las mamás?»

Jessica, una niña de 5 años, dejó de pintar una postal del día de la madre y frunció el ceño. Tras un corto silencio, dijo: «Es que no entiendo de dónde vienen las mamás. Sé que mi mamá fue un bebé y que su mamá la cuidó, pero ¿de dónde vino la mamá de mi mamá?». Se quedó en silencio durante un momento y lugo dijo, entre suspiros: «Es muy complicado». Tina, una niña de 4 años que pensaba sobre lo mismo, anunció que ella no necesitaría un marido para «tener un bebé»; iba a plantar las semillas en el jardín «ella solita». Esto nos demuestra la diferencia entre el razonamiento de una niña de 4 años y el de otra de 5, que intentaba descubrir la verdadera naturaleza de la existencia humana. Sin embargo, ambas coincidían en algo: una ausencia. La una y la otra habían obviado el papel del padre en el proceso; Tina, de un modo más consciente y Jessica, haciéndose un lío con el vínculo vital entre padres y madres. Aceptar que el padre y la madre se unen para crear a un tercero abre la mente del niño a toda clase de uniones diversas que deben hacerse para crear algo distinto. A sus 4 años, Tina aún no estaba preparada para entenderlo, pero Jessica sí, por «complicado» que le pareciera.

En el capítulo 1 vimos cómo disfrutó Sammy colaborando con su padre para hacer un coche con una caja de cartón. Se ha visto que los niños se esfuerzan más cuando trabajan en parejas y puede que sea por el mismo motivo, es decir, que todo se derive de la aceptación de que los padres se unen para crear algo nuevo.

Cuando el niño de esta edad acepta que papá y mamá se han unido para hacer un bebé, puede dejar a un lado la necesidad de saber cómo lo han hecho y permitir que su curiosidad por otras cosas tome las riendas. Obviamente, esto es uno de los factores que les permite aprender; sin embargo, tampoco quiere decir que los niños dejen de sentir curiosidad por cómo se hacen los bebés. Los niños y niñas de 4 y 5 años suelen jugar a estar embarazados y embarazadas, como en el ejemplo que ofrecemos a continuación, donde vemos a Ellie, de 4 años, jugando con su hermana de 6, Anna.

Ellie dice gimoteando y tirando a Anna del brazo: «Venga, Anna, ven a jugar a que "el bebé tiene que irse a dormir"». Anna aparta el brazo y dice que no quiere. Ellie desaparece un momento y vuelve con un muñeco con forma de bebé, vestido de rosa. Ríe animadamente y se lo tira a Anna, gritando: «¡Mira Anna, mira, es tu bebé, ha salido de tu barriga!». Anna coge la muñeca y se la mete a la fuerza por debajo de la camiseta. Empieza a andar por la sala, sacando la barriga hacia fuera. De repente, vuelve a sacar la muñeca y se la devuelve a Ellie, diciendo con aires de grandeza: «Venga, Ellie, no me apetece en absoluto andar por ahí con tu bebé debajo de la camiseta». Ellie coge la muñeca y se va a su habitación.

Aunque, al principio, Anna se mostró reticente, no pudo resistirse a la oportunidad de jugar a estar embarazada. Por otro lado, Ellie tenía claro que era Anna quien debía tener el bebé, quizás porque, en el fondo, percibía que había algo vergonzoso y prohibido en el aspecto sexual del juego. Lo cierto es que se mostró muy excitada con el juego y puede que también Anna pensara, de golpe, que lo que hacía era demasiado adulto, y por eso se detuvo tan bruscamente.

Los niños de estas edades encuentran de repente que palabras como «culo» y «pito» son extraordinariamente divertidas. He podido ver a dos niños de 5 años revolcándose por el suelo de la risa, cuando el uno o el otro decía la palabra «pedo». Dos gemelos de 5 años se inventaron una canción, que cantaban bailando desnudos después de haberse bañado por la noche. Decía así: «¡Somos los niños sucios! ¡Olemos mal y estamos sucios, nos huele mal la barriga, tenemos el culo sucio, el pito hace pipí y el culo hace caca!» sin parar de reír. Aunque, probablemente, la canción se acababa haciendo molesta cuando uno tiene que oírla una y otra vez, la inocencia con que la cantaban la convertía en algo aceptable. También muestra el creciente interés de los niños de 5 años por las funciones corporales.

Puede que esto nos indique que los niños de esta edad parecen dejar de lado los contenidos sexualmente explícitos para concentrarse en el regocijo más infantil que les causan las partes del cuerpo denominadas pudendas. El interés por la sexualidad se desvanece, o se adormece, para darles a los niños un respiro de unos años y permitirles concentrarse en otras cosas, antes de llegar a la pubertad, hacia los 11 o los 12 años.

Diferencias de género
«¿De qué están hechas las niñas?»

Los niños de estas edades suelen adoptar estilos masculinos o femeninos muy estereotipados cuando salen de casa, quizás porque van en busca de su identidad. Puede que adoptar estas posturas extremas sea el único modo de saber con seguridad en qué punto del continuo del género se encuentran. En primero de primaria, ser igual y encajar en el grupo tiene una importancia fundamental y hay una gran tendencia a la conformidad. Es muy duro sentir que se es diferente a los demás en este aspecto, cuando es probable que ya haya otras fuentes de diferencia a las que enfrentarse (como por ejemplo la raza, la cultura, la estructura familiar, etc.). La profesora de una clase de primero se llevó la sorpresa de que algunos de los niños no sólo conocían la canción *What are llittle girls/boys made of?*[1]

---

1. Canción infantil del siglo XIX muy conocida en Gran Bretaña. (*N. de la t.*)

[«¿De qué están hechas las niñas/los niños?»], sino que se la cantaban las unas a los otros con frecuencia, especialmente cuando las niñas querían molestar a los niños. Las niñas tienden a jugar con las niñas y los niños con los niños, y la mayoría de las amistades importantes que se establecen a estas edades suelen ser entre niños del mismo sexo. Tal y como dijo un niño de 5 años: «¡Las niñas son puaj!».

Los padres que intentan que sus hijos no jueguen con pistolas, por ejemplo, suelen encontrarse con que los objetos más inofensivos acaban convirtiéndose en armas «letales». En una clase de primero jugaban a las tiendas con comida de plástico. Al principio, niños y niñas se turnaban para ser o el tendero o el cliente, pero entonces uno de los niños cogió un plátano de plástico y salió corriendo, apuntando al resto de niños y haciendo como si disparara. Muy pronto, todos los niños corrían por todo el patio con un plátano en la mano e intentando dispararse. Las niñas siguieron con las compras.

Lo que los niños y niñas de 4 y 5 años deciden dibujar también es indicativo de la necesidad de conformidad con el estereotipo de su género. La diferencia se nos hizo evidente al observar a tres niños dibujar en un caballete y a tres niñas en otro. Los niños dibujaban un cohete a punto de despegar (se trata de los mismos niños que hemos visto anteriormente dibujando un avión). Dibujaron grandes columnas de humo y de fuego en la base del cohete y reían animados, mientras cada uno de ellos utilizaba colores diferentes para aumentar la deflagración. En el otro caballete, las niñas habían dibujado una princesa con un vestido rosa decorado con corazones. Susurraban y reían mientras decidían cuál de ellas sería la princesa primero.

En el patio de la clase de primero, que estaba separado del patio principal, los niños tendían a pedalar con fuerza en las bicicletas y los triciclos, riendo acaloradamente cuando estaban a punto de chocar entre ellos, mientras que las niñas solían formar grupitos y hablar. Por supuesto, esto es una descripción general y siempre habrá excepciones, pero puede que a los padres les cueste aceptar que su hijo o su hija se comporte de un modo tan estereotipado dentro de un grupo cuando, en casa, es muy probable que muestre facetas muy distintas.

En ocasiones, los padres se preocupan excesivamente por la aparente sobreidentificación de su hijo o hija con su propio sexo, pero suele tratarse de una fase pasajera que el niño supera a su propio ritmo. Cuanto más despectivos o críticos se muestren los padres ante la insistencia de su hija de vestir siempre de rosa o de dibujar una princesa tras otra, más probable es que la niña decida persistir y mantener esa postura. El juego simbólico les ofrece la oportunidad de experimentar con la diferencia, no así la clase o el patio. Con la imaginación pueden arriesgarse a ser otra persona y ver qué se siente. A Amy, una de las tres niñas que dibujaban la princesa, le gustaba mucho jugar a ser un caballo desbocado o un perro que ladraba, mordía y se portaba mal. Hay niñas que asumen el papel del padre y andan con firmeza, se muestran enfadadas y gritan dando una imagen en la que probablemente sus padres no se ven reflejados. Por otro lado, algunos niños, se refugian en la casita de juguete del aula y juegan a muñecas para ver qué se siente al ser una mamá. Todo esto nos muestra el deseo de los niños de descubrir quiénes son y cuál es su lugar en su entorno social.

El principio del acoso escolar

«Nos ha puesto tristes. Es muy mala.»

Hay niños que afrontan los sentimientos de indefensión y de vulnerabilidad volviéndose mandones y controladores. Una niña italiana de 5 años, Carla (a la que hemos conocido hace poco, jugando a ser la bruja) había llegado a Gran Bretaña sin hablar ni una sola palabra de inglés. Al cabo de tan sólo un año, era perfectamente bilingüe y no tenía ningún acento extranjero; eso, sin embargo, fue a costa de su desarrollo emocional. Daba órdenes sin tregua al resto de niños, llegando a hacerles llorar. Sus ojos refulgían de ira si alguno se atrevía a desobedecerla. Cuando participaba en juegos simbólicos, era ella quien asignaba los papeles de todos los demás, independientemente de lo que ellos desearan. Lo más sorprendente es lo poco que se quejaban el resto de niños de esta conducta. Por ejemplo, Carla decía con condescendencia: «No, no puedes ser la princesa. Yo soy la princesa, tu serás mi gato». Y, entonces, procedía a explicar con exactitud cómo debía comportarse el gato. En una ocasión, Carla tomó posesión del castillo, en su habitual papel de princesa, y ordenó a las otras tres niñas que jugaban con ella que fueran sus criadas. Jugaba a que era el cumpleaños de su padre, el rey, y que le hacían un pastel. Tenía que estar listo antes de que llegara a casa. Había en el juego una importante ausencia que es interesante resaltar: la de la reina/madre. Carla estaba tan inmersa en el juego, organizando los preparativos, que no se dio cuenta de que dos de las niñas se alejaban, de la mano, del castillo. Explicaron: «No queremos jugar a eso. Nos ha puesto tristes. Es muy mala, ¿a que sí?». Y se fueron a otro sitio, a seguir con su propio juego simbólico.

Seguramente, Carla llegó a Gran Bretaña sintiéndose completamente desconcertada y se vio empujada de nuevo hacia una etapa anterior, en que carecía del lenguaje para expresar sus necesidades más básicas. ¿Qué puede resultar más aterrador para una niña de 4 años que justo acaba de adquirir el lenguaje en su lengua nativa que perder la habilidad de comunicarse? Es muy probable que las emociones contradictorias que sentía se vieran aumentadas por el hecho de que el motivo del desarraigo familiar fuera el trabajo de su padre. Estaba en un punto del desarrollo en el que no podía enfadarse con él, el «rey», por haberla perturbado. Los sentimientos naturales hacia su padre se vieron complicados, porque fue él quien la hizo volver a sentirse como un bebé indefenso. No es sorprendente que necesitara ser la princesa, la hija del rey, una y otra vez, para recuperar parte de su identidad. Sin embargo, el problema era que utilizaba el poder de su recién adquirido lenguaje para conseguir recuperar esa identidad a costa de no poder hacer amigos de verdad. Su incapacidad de permitir que el resto de niños fueran sus iguales en el juego impidió que se integrara completamente. Su diferencia en términos de cultura y de lenguaje se acentuó, pero los niños no se apartaban de ella por esta diferencia, sino por su manera de afrontarla.

Carla demostraba su miedo de ser una víctima a través de otro juego. Se trata del juego de la bruja que hemos descrito con anterioridad y en el que Carla no podía soportar dejar su papel de bruja a otro niño y adoptar el de víctima. Tenía que ser siempre la bruja. De nuevo, esto provocaba que el resto de niños no quisieran jugar con ella y que la dejaran sola. No discutían ni se peleaban, se limitaban a irse, con lo que Carla era incapaz de entender lo que había hecho para provocar ese aislamiento. Le recordaba una y otra vez la soledad y la incomprensión que había sentido al llegar a Gran Bretaña por primera vez.

Existe un círculo vicioso que provoca que niños como Carla continúen comportándose como abusones para librarse de unas emociones de vulnerabilidad, dependencia y, sobre todo, diferencia que les resultan insoportables. En el caso de Carla, parece que actuaba de este modo como una reacción directa ante un suceso perturbador que se solucionaría con el tiempo y con algo de suerte. Sin embargo, a no ser que haya un adulto sensible que pueda entender los motivos de este tipo de conducta, al tiempo que impone límites firmes, los principios de acoso de un niño de 5 años pueden acabar convirtiéndose en algo muchísimo peor al cabo de los años. Los niños que se sienten impotentes en otras áreas de su vida se aferrarán al único poder de que disponen, es decir, el de dominar a sus iguales, y empezarán a hacer mal uso de él. Margaret Atwood lo describe de manera excelente cuando habla de acoso escolar en su novela *Cat's Eye*: «[Los niños] sólo son monos y pequeños para los adultos. Para los otros niños no son monos. Son de tamaño real».

La diferencia entre sentirse solo y estarlo
«¡Marchaos y dejadme en paz!»

De vez en cuando, los niños de 4 o 5 años se cansan de estar con los demás y quieren pasar algún tiempo a solas.

Esto es muy distinto de lo que les ocurre a los niños que desean desesperadamente unirse a los demás, pero no saben cómo hacerlo. Es muy triste ver cómo un niño intenta una y otra vez que los demás jueguen con él, para conseguir únicamente que se vayan a hacer cualquier otra cosa.

Esto es lo que le sucedía a Arun. Había encontrado un escondite excelente en el patio, detrás de un arbusto y quería que otros niños fueran a jugar con él. Pero, por mucho que intentó persuadir a un niño tras otro, ninguno accedió a ello. Arun acabó dándose por vencido y se pasó el resto de la hora del patio jugando a los piratas y a que le cogían prisionero, pero ningún niño lo acompañó. Fue un acto de bravuconería, pero la sensación subyacente de soledad y de rechazo era muy evidente. Como Arun era hijo único y estaba más acostumbrado a relacionarse con adultos que con niños, así es posible que los demás se sintieran un tanto intimidados por él. Hablaba de un modo muy maduro que gustaba a los adultos, pero que desconcertaba a sus iguales. Arun tardó algunos meses en encontrar un amigo que accediera a quedarse con él a jugar y se volvió muy posesivo con él: se enfadaba mucho cada vez que el niño quería jugar con otros. Poco a poco, Arun dejó de querer controlarlo todo y aprendió a dejar que su amigo jugara con otros y a esperar a que volviera. Mientras esperaba, jugaba solo animadamente, lo que era muy distinto de lo que sucedía antes, cuando se sentía tan desesperado por no tener a nadie con quien jugar.

Hay niños a quienes les gusta estar solos y que necesitan pasar algún tiempo a solas. Es más, estar solo puede favorecer la creatividad y la imaginación. Un niño de 5 años, bastante precoz, era hijo único, por lo que estaba acostumbrado a entretenerse solo y escribía sus propias obras de marionetas, que luego representaba, asumiendo él mismo todos los papeles. Jugar solo es positivo, siempre que el niño tenga amigos a quien unirse cuando se canse de su propia compañía. Sin embargo, con tantos juegos de ordenador, consolas de juegos y, por supuesto, la televisión, que distraen al niño y le distancian tanto de su propia imaginación, como del contacto humano, hay otro tipo de soledad que no tiene nada que ver con el estímulo de la creatividad. De hecho, la aniquila. Los niños de 4 y 5 años ya pueden utilizar una consola de juegos portátil para evadirse del mundo real. Una profesora de primero de primaria explicaba que siempre se aseguraba de que, los lunes, las bicicletas, los triciclos y los patinetes estuvieran disponibles en la hora del patio, porque los niños volvían a la escuela del fin de semana con muchísima energía reprimida. Dijo que lo único que se le ocurría para explicarlo era que los niños permanecían inactivos durante el fin de semana, sentados ante los ordenadores y las consolas de juegos o mirando la televisión.

Es posible que parte del problema resida en que los padres sienten, con cierta justificación, que ya no es seguro permitir que los niños pequeños jueguen en la calle o en el parque con otros niños. Es evidente que para los padres es mucho más sencillo dejar que su hijo se quede en casa, a salvo —aunque eso implique largos períodos de inactividad—, que tener que controlarlo constantemente y estar disponibles para llevarlo a casa de sus amigos o a las actividades extraescolares. En la actualidad, se espera que los padres hagan mucho más por sus hijos de lo que hacían antes (ahora, incluso un partido de fútbol en el parque hace necesesario que los padres lleven a los niños y que se queden allí esperando) además de cumplir con las obligaciones de su ya atareada vida cotidiana. No es sorprendente que los padres, agotados, agradezcan el silencio que impera en casa cuando los hijos están absortos en un juego de ordenador.

Es fácil discernir qué niños no quieren jugar solos, sino que, como Arun, necesitan aprender a relacionarse con los demás sin alejarles de sí, y qué niños se sienten tranquilos y satisfechos cuando están solos. Lo que resulta más preocupante es ver la cantidad de niños que evitan voluntariamente las relaciones sociales y el ejercicio de la imaginación para jugar con algún videojuego. Esto no quiere decir que este tipo de juegos sean perjudiciales; si se usan con moderación, pueden ayudar a los niños a desarrollar la coordinación óculo-manual y hay algunos que son educativos y que contribuyen al aprendizaje de la lectura y de la aritmética. Sin embargo, si al niño le cuesta entablar amistades, es probable que le resulte más fácil relacionarse con un mundo virtual. Tal y como hemos visto, Arun siguió intentando relacionarse con otros niños hasta que encontró uno con quien jugar. Si se hubiera apartado del contacto con sus compañeros para sumergirse en los juegos de ordenador, habría acabado sintiéndose todavía más aislado.

También hay veces en que, si los niños están muy enfadados, pueden gritar: «¡Dejadme en paz!» cuando, lo que quieren en realidad es que alguien vaya y los ayude a sentirse mejor. Todos los padres acaban pasando por esta experiencia en algún momento, con las coletillas: «¡Te odio!» u: «¡Ojalá no fueras mi madre!». Cuanto más lo toleren a estas edades, con menos intensidad aparecerá en la adolescencia.

4

Libros para leer
con los hijos

Libros que abordan miedos habituales
«Léemelo otra vez.»

En la actualidad hay tantos libros infantiles excelentes que, a veces, es complicado decidirse por uno. Muchos padres les leen a sus hijos los cuentos que ellos conocieron en su infancia, lo que puede convertirse en un vínculo entre padres e hijos, en el presente, y entre los padres y su propia infancia, en el pasado. Si los padres pueden recordar cómo se sentían de pequeños, les resultará más fácil empatizar con las emociones y estados de ánimo de sus hijos.

A los niños de 4 y de 5 años les encanta que les lean cuentos en voz alta. En las clases de primero, incluso los niños más alborotadores e inquietos consiguen estarse quietos mientras la maestra les lee un cuento a toda la clase, especialmente si la historia se narra con frases cortas y pegadizas que se repiten con frecuencia. Las rimas y el ritmo son muy importantes a estas edades. En el capítulo 2, ofrecimos un ejemplo de lo útiles que pueden resultar los libros para que los niños establezcan una conexión entre su casa y la escuela y entre las maestras y sus madres. Pusimos como ejemplo a Nick, que llevó a clase un libro sobre monstruos horribles y muy maleducados. La maestra se lo leyó en voz alta a toda la clase, que lo disfrutó enormemente, y otro niño, Ben, acabó pidiéndole a Nick el libro para que *su* madre pudiera leérselo.

Los libros son un modo muy eficaz de reducir la ansiedad que produce una situación real o imaginada. A través del libro, donde un personaje de ficción vive esas situaciones temibles para los niños, el niño puede explorar sus temores con seguridad y a distancia y, lo que quizás es aún más importante, puede descubrir que las emociones que pueda estar sintiendo son normales y que no es el único en sentirlas. En otras palabras, los niños pueden identificar las emociones que les atemorizan, asignarles un nombre y pensar sobre ellas. Puede que éste sea uno de los motivos por los que los niños piden que se les lea el mismo libro una y otra vez, como si al volver a escuchar el argumento central de la historia pudieran adquirir cierto control sobre lo que les produce ansiedad. A estas edades, el niño experimenta un constante ir y venir entre el deseo de volver a la seguridad del regazo de la madre, es decir, de ser tratado de nuevo como el bebé indefenso y adorado que era antes, y entre la necesidad de explorar el mundo exterior y volverse cada vez más independiente.

Libros que les puede leer a sus hijos
«¡Suculenta! ¡Deliciosa! ¡Superior y muy jugosa!»

Uno de los mejores libros para ayudar a los niños a afrontar la ansiedad y el miedo es *Vamos a cazar un oso*, de Michael Rosen. Una familia sale a emprender una aventura que se vuelve cada vez más difícil y amenazadora, y cada página termina con la frase: «¿Quién le teme al oso? ¡Nadie! Aquí no hay ningún miedoso». La familia sólo puede aceptar el terror que sienten cuando, de hecho, encuentran el oso que habían salido a cazar, y vuelven corriendo a la seguridad de su casa. El libro genera una ansiedad creciente antes de que la familia pueda, finalmente, escapar del peligro, lo que atrae especialmente a los niños de 4 y 5 años, sobre todo porque los padres de la historia tienen tanto miedo o más que sus hijos, pero aun así los protegen del peligro.

El libro *¡Qué asco de bichos! El cocodrilo enorme*, de Roald Dahl, contiene todas las emociones, tanto positivas como negativas, que los niños sienten por sí mismos. En el libro, la parte del niño no tan buena y avariciosa que puede hacerle sentir culpable aparece representada en la forma del cocodrilo del título. De hecho, Dahl idea dos cocodrilos: el del título, henchido de avaricia y de ansias de poder, y otro, «No-tan-grande», que no se deja tentar por el primero para que se una a él y colabore en sus acciones «horrendas». Como en todos los cuentos, al final el cocodrilo enorme recibe su justo castigo, lo que apela al sentido de la justicia de los niños de esta edad. Les parece justo que el cocodrilo reciba un duro castigo por su deseo destructivo de comerse a niños pequeños y por su apetito voraz. Tambien sintoniza con muchos niños que han tenido que asumir el nacimiento de un hermano pequeño, con las inevitables emociones contradictorias que esto les genera; los niños que se encuentran en esta situación necesitan darse cuenta de que los ocasionales arrebatos de odio que sienten por el recién llegado no pueden hacer ningún daño, porque hay adultos que los protegen, del mismo modo que el resto de animales del cuento se aseguran de que el cocodrilo enorme no pueda cazar a ningún niño y comérselo.

Aunque pueda pensarse que el vocabualrio de *¡Qué asco de bichos! El cocodrilo enorme* es demasiado complicado para los niños de esta edad, a los niños les gusta escuchar palabras nuevas, a pesar de que no acaben de comprender su significado, y la historia en sí es muy sencilla. Cuando duden acerca de si exponer o no a los niños a un vocabulario que puede parecer demasiado avanzado para su edad, no tienen más que acordarse del libro de Beatrix Potter, *Perico el conejo*, en que utiliza la palabra «soporífero» para describir la somnolencia producida por haber comido demasiada lechuga. *¡Qué asco de bichos! El cocodrilo enorme* está repleto de repeticiones de sonidos y de rimas que a los niños les encanta repetir. Unos padres seguían citando el libro cuando uno de sus hijos, ya en la adolescencia tardía, les preguntaba qué había para cenar. La respuesta era:

¡Suculenta!¡Deliciosa!
¡Superior y muy jugosa!
¡Más sabrosa
que mil peces malolientes!

¡Masticarla es tal placer
que te puedes relamer
sólo oyendo cómo suena
entre lo dientes!*

No es extraño que el argumento de tantos libros dirigidos a los niños de esta edad gire en torno del estar en peligro por culpa de personajes malvados, que son más grandes y más fuertes que ellos. Los niños de 4 y 5 años se asustan a menudo tanto por los monstruos que imaginan, como por las situaciones reales que les recuerdan lo pequeños que son y cómo dependen de sus padres. Quizás recuerden a los niños de la clase de primero en sus primeras incursiones al patio de los mayores, y el tiempo que necesitaron para considerar que los niños más mayores eran, en general, buenos y que no les harían daño.

Hay niños a quienes les cuesta reconocer que siguen dependiendo de sus padres, porque aumenta su temor de perder a quienes tanto necesitan. Es muy frecuente que los niños se imaginen que son los hijos huérfanos de un rey y de una reina, y que, luego, la fantasía se entrelace con la realidad y sientan verdadero terror de que sus auténticos padres los abandonen y los dejen solos. ¿Cómo sobrevivirían? A estos niños les resultan particularmente útiles los libros que versan sobre este temor. Ya hemos visto cómo *Hansel y Gretel* y muchos otros cuentos de hadas tratan este tema, pero también hay una versión más actual, el fantástico libro *El grúfalo*, de Julia Donaldson, donde el personaje principal, un ratoncito diminuto, consigue, sin ayuda al-

---

* © de la traducción del verso 1981, María Puncel y 1985, M. A. Diéguez. (*N. de la t.*)

guna, vencer a un atajo de depredadores, más grandes y más feroces que él, y que querían comerle.

El grúfalo emplea un patrón rítmico y regular que no cambia, excepto por una palabra, para nombrar a los distintos animales con que el ratón se encuentra en cada página. Al igual que en *Vamos a cazar un oso*, esto hace que el niño consiga asumir situaciones que, en principio, podrían resultarle aterradoras. La familiaridad de las frases le brinda al niño la sensación de que puede observar cosas que le dan miedo sin tener que huir. Por ejemplo: «Por el bosque muy orondo se paseaba este ratón. El zorro lo vio y se dijo: "Voy a darme un atracón"». El zorro pasa a ser un búho, una serpiente y, finalmente, el pavoroso grúfalo. En *Vamos a cazar un oso*, encontramos la misma técnica. En la página izquierda puede leerse: «Vamos a cazar un oso, un oso peludo y furioso. ¿Quién le teme al oso? ¡Nadie! Aquí no hay ningún miedoso». Entonces, en la derecha, aparece el peligro: «¡Un río!/¡Barro!/¡Un bosque!/¡Una cueva!…», y la conciencia de que tienen que afrontarlo: «Por encima no podemos pasar, por abajo no podemos pasar. No hay modo… Lo tendremos que atravesar», hasta que la familia se encuentra con el mayor peligro de todos: el oso. *El grúfalo* es diferente, porque el monstruo que se le aparece al ratón y que tiene que afrontar es fruto de su imaginación.

El libro de Maurice Sendak, *Donde viven los monstruos*, refleja con claridad el miedo que pueden sentir los niños de descontrolarse y de destruir lo que tengan a su alcance. Todo ese «vandalismo» se concentra en Max, un niño pequeño a quien «su madre llamó "¡Monstruo!" y Max le contestó: "¡Te voy a comer!" y le mandaron a la cama sin cenar». Max lidia con su furia imaginándose que se conveirte en monstruos de toda índole, lo que le proporciona una falsa sensación de poder, como la del cocodrilo enorme. Se otorga a sí mismo la capacidad de domar y de controlar a los monstruos, del mismo modo que sus padres le controlan a él, mandándole a su habitación. Sin embargo, la habitación también le proporciona a Max los límites físicos que necesita para poder calmarse. Se siente protegido físicamente y está a salvo, lo que le permite dejar volar su imaginación. Es evidente que es preferible desatar el caos en la mente que en la realidad.

Max no tarda en darse cuenta de que se siente solo y de que tiene hambre; en otras palabras, cuando la ira desaparece, puede aceptar que lo que necesita por encima de todo es amor y cuidados de «alguien que le quiera más que a nadie». Cuando vuelve a la realidad de que es un niño pequeño, abandona la creencia de que es todopoderoso y de que, en consecuencia, no necesita ni a un papá ni a una mamá.

El Max de ficción es un niño como todos los demás, es decir, un niño que tiene que encontrar el modo de controlar sus ataques de ira y sus impulsos destructivos para ser más «civilizado». Max se encuentra en un estadio más avanzado que el del niño de 2 años en plena rabieta. Empieza a tener conciencia de lo que es una conducta aceptable, así como a ser capaz de emplear los pensamientos y la fantasía para volver a la civilización.

Todos los cuentos que he mencionado tratan los miedos más habituales entre los niños, y los resuelven para mostrales cómo conseguir que esos temores no sean tan intensos. Por eso son tan útiles a la hora de ayudar a los niños a identificarse con toda una variedad de personajes en distintas situaciones y en distintas etapas del desarrollo.

Los padres también salen beneficiados de la experiencia. Si las madres que, por un motivo u otro, no han podido establecer vínculos de apego con sus bebés y su hijos pequeños, se animan a leerles cuentos en voz alta, pueden obtener resultados sorprendentes. Un grupo de madres procedentes de un entorno necesitado y a quienes sus padres no les habían leído cuentos de pequeñas descubrieron que leerles cuentos a sus hijos era un modo de comunicarse con ellos, a pesar de que, por otro lado, se dieron cuenta de lo que se les había privado. La madre de un niño autista encontró la manera de entrar en su mundo a través de los cuentos, aunque solía tener que leerle el mismo libro una y otra vez. Era el único modo de que su hijo le dejara estar cerca de él.

Leer en voz alta a los hijos permite que se compartan una intimidad y una cercanía especiales. La mayoría de nosotros podemos recordar cómo nos leían en la escuela o en casa. Una de las maravillas de la infancia es poder sumergirse en un mundo de ficción, a veces aterrador, al tiempo que se siente la seguridad y el consuelo de estar en un entorno conocido.

5

Temores y preocupaciones

Afrontar la pérdida

«Espero que no se muera nunca.»

Todos los cambios implican dejar algo atrás para poder experimentar algo nuevo. Los niños de 4 y 5 años ya han tenido que adaptarse a muchos cambios —que siempre han implicado finales y pérdidas de un tipo u otro— antes de llegar al momento en que se encuentran. El modo en que los niños afrontan la pérdida depende, en gran medida, de sus relaciones de apego primarias; es decir, cuanto más firmes sean, mejor podrá aceptar la noción de que el cambio y la pérdida también contribuyen al desarrollo. Puede que otro modo de enfocar la cuestión sea pensar en por qué hay niños de 4 y 5 años a quienes les gusta probar cosas nuevas y que se sienten seguros al hacerlo y por qué hay otros para quienes cualquier experiencia nueva es fuente de ansiedad y de pánico. Si el niño no está seguro de cuánto le quieren o si cree que sus padres están fuera de su alcance a nivel emocional (y puede haber varias razones para ello, como el nacimiento de un nuevo bebé), el cambio puede percibirse como algo caótico y terrible. En lugar de emplear toda la energía de que dispone para experimentar cosas nuevas, la utiliza para controlarse físicamente e intentar eliminar la horrible sensación de miedo.

Carla, la niña italiana que conseguía no desmoronarse dominando al resto de niños (véase capítulo 3), había perdido su país, su cultura y su lenguaje, además de a sus queridos abuelos. Sin embargo, puede que lo más importante fuera que también había perdido a una madre emocionalmente disponible para ella, porque también le costaba asumir la pérdida de *su* identidad en un país donde no podía comunicarse con facilidad. Uno de los modos de afrontar la pérdida es negarla, evitando así las emociones dolorosas. El problema es que entonces cualquier cambio hacia algo nuevo despertará las emociones sin resolver que habían causado pérdidas anteriores, lo que deja al niño emocionalmente aún más desvalido que antes. «La ansiedad y la ira van de la mano, como respuestas al riesgo de una pérdida.» (Bowlby, 1988) Ciertamente, la ira de Carla era evidente en sus ojos entrecerrados y brillantes cuando daba órdenes a los demás.

Angus, que tenía 4 años, afrontó dos cambios importantes en su vida (el nacimiento de un hermanito y el primer curso de la escuela) utilizando el vídeo para conseguir tener una sensación de control. Todas las tardes, al volver de la escuela, corría al comedor y metía su cinta de vídeo favorita en la máquina. Miraba la película hasta un punto concreto y luego la rebobinaba y volvía a empezar desde el principio. Nunca se permitía llegar al final: parecía encontrar consuelo en la familiaridad de lo conocido y no quería ni pensar ni conflictos (o resoluciones). Se sabía todos los diálogos de memoria y acompañaba a la historia con acciones, además de con las palabras. Imitaba el vídeo, para asegurarse de que no habría sorpresas desagradables. La repetición de cada palabra y acción le proporcionaba una sensación de control y, cuando se cansaba de repetir, creaba su propio final, apagando el vídeo. Si Angus se hubiera arriesgado a utilizar las palabras con creatividad, es decir, si hubiera dialogado con una persona real, como su madre, no habría podido controlar ni anticipar sus respuestas. Esto le habría hecho ser consciente, por un lado, de que eran personas diferentes y separadas, y, por otro, de que no podía controlar los cambios. Después de ver el mismo fragmento de película enre diez y quince veces, Angus se acurrucaba en el sofá y se dormía. Parecía ser su manera de regularse y de controlar lo que era aceptable y soportable; parecía evidente que, en esos momentos, los finales no eran ni una cosa ni la otra. Al final, la cinta acabó estropeándose por el uso; entonces Angus pudo por fin abandonarla y pasar a otra película que, por cierto, fue capaz de mirar hasta el final sin que le causara demasiada ansiedad.

A veces los adultos piensan que los niños de 4 o 5 años son demasiado pequeños para poder afrontar la pérdida o el cambio. Es normal que los adultos quieran proteger a sus hijos no diciéndoles toda la verdad, pero las fantasías de los niños acerca de un cambio o un final dolorosos suelen ser mucho peores y más aterradoras que la realidad.

En lugar de decirle que se separaban, los padres de Danny le contaron que se iría con su madre a casa de sus abuelos, en otra parte del país, y que pasarían un tiempo allí. Al principo, Danny se alegró mucho y disfrutó enormemente durante las primeras semanas, dejando que sus abuelos le mimaran. Al cabo de un tiempo empezó a preguntar por su padre; quería saber dónde estaba y cuándo le vería de nuevo. Su madre fue incapaz de decirle la verdad, hasta que la situación no fue sostenible. Matricularon a Danny en la escuela primaria de la zona y le llevaron a conocer a su nueva profesora y al resto de niños. Estaban a mitad de curso. Danny no era tonto y no le costó darse cuenta de que, si iba a la escuela, ya no eran unas vacaciones. Empezó a preguntar con creciente insistencia, hasta que, por fin, su madre se derrumbó y le dijo que iba a quedarse con el abuelo y la abuela y que papá y ella ya no vivirían juntos. Le costó entender la reacción inicial de Danny ante la noticia, hasta que comprendió que Danny había llegado a creer que su padre había fallecido y que su madre estaba demasiado triste para contárselo; se había dado cuenta de los susurros entre su madre y su abuela que, misteriosamente, se detenían en cuanto él aparecía. El alivio que sintió fue evidente cuando entendió que podría volver a ver a su padre y que, cuando la situación se normalizara, podría quedarse con él durante los fines de semana y las vacaciones.

Resulta extraño lo difícil que suele resultarles a los profesores y otros profesionales que trabajan con niños decirles que se van. Tienden a retrasar hasta el último momento el anuncio de que no estarán allí el curso siguiente, por lo que los niños no tienen la oportunidad de prepararse o de acostumbrarse a la pérdida. Los adultos disponen de sus propios recursos para evitar las emociones dolorosas y puede parecerles que, a corto plazo, es más fácil no hacer caso o desdeñar los cambios, ya sean pequeños o importantes, o que, si no dicen nada y se van sin despedirse, los niños sufrirán menos. Pero lo que el niño entenderá es que lo que ha sucedido es tan malo que no puede ni hablarse de ello. Tener miedo de algo que no puede nombrar aumenta la ansiedad del niño en mayor medida que saber que algo va a cambiar y que puede prepararse para ello.

Los niños de una clase de primaria se pusieron muy nerviosos un día que su maestra no había acudido a clase. Cuando la maestra pasaba lista por la tarde, los niños tenían la costumbre de decir: «Buenas tardes, señora Wright. La quiero. Espero que esté bien», o frases como «Espero que no se convierta en una serpiente/babosa/robot, etc.». La señora Wright respondía a todos los comentarios con amabilidad y sentido del humor. Sin embargo, el día que faltó porque no se encontraba bien, la clase le mostró su preocupación a la profesora suplente diciéndole: «Espero que no se ponga enferma/se muera/se vuelva un esqueleto» y otras frases por el estilo. Cuando la señora Wright volvió, los niños se mostraron muy apagados y se limitaron a decir que la querían y que esperaban que se encontrara mejor. A la semana siguiente, ya volvían a ser ellos mismos y los comentarios que gritaban se fueron volviendo cada vez más insólitos. «¡Espero que no se convierta en un coche de carreras!», exclamaban. Obviamente no se puede preparar a los niños para enfermedades inesperadas, pero sí ser consciente de la preocupación que puedan mostrar.

La mayoría de niños de 4 o 5 años no tienen que enfrentarse a fallecimientos reales dentro de la familia, pero es algo que puede suceder y, cuando sucede, es posible que necesiten ayuda profesional. No puede esperarse que una madre, que debe afrontar su propio dolor por la pérdida de un hijo o de una pareja, por ejemplo, sea capaz, al mismo tiempo, de mostrar empatía por el dolor del hijo que le queda. Es muy probable que el niño se vea embargado por fuertes sentimientos de culpabilidad, de ira y de tristeza, que deben ser tratados por alguien que no pertenezca a la familia inmediata.

Si se le ayuda a mantener los buenos recuerdos acerca de la relación perdida y a no eliminarlos de su mente, como si la persona nunca hubiera existido, podrá empezar a pensar en nuevas relaciones con confianza y esperanza.

Obstáculos para el aprendizaje
«Es muy complicado.»

Si un niño está demasiado preocupado por problemas familiares, no le quedará espacio mental para incorporar conocimientos nuevos. Las emociones complejas interfieren con el aprendizaje. Si el niño siente una gran ansiedad por su propia supervivencia, o por la de sus seres queridos (en el sentido psicológico, no en la realidad), empleará todos sus recursos para protegerse y estar a salvo. No le quedarán herramientas para generar la actividad mental necesaria para aprender. Desde una perspectiva biológica, diríamos que se activa el mecanismo «luchar o escapar» y el niño puede defenderse de un ataque imaginario o bien atacando él primero o retra-yéndose.

Errol, un niño de 4 años que aún no había acabado de adquirir el lenguaje, es un buen ejemplo de ello. Parecía estar excesivamente preocupado por el estado emocional de su madre. Le costaba perder el contacto visual con ella, en parte porque pensaba que él no era lo suficientemente fuerte como para sobrevivir sin ella y viceversa. Esto se ha-cía evidente por la desesperación que mostraba cuando detectaba el menor morado o corte en las manos o en las piernas de su madre, cuando iba a buscarle a la escuela. Se ponía a llorar desconsoladamente, porque cualquier pe-queña herida parecía confirmarle sus peores miedos. Sin embargo, Errol también creía que, si se permitía hablar, las palabras que saldrían de su boca serían tan violentas y des-tructivas que le provocarían daños irreversibles a su ma-dre. De hecho, se llenaba la boca con pañuelos de papel mojados para impedir que se le escaparan las palabras; ha-cía lo mismo con un cocodrilo de juguete, al que le llena-ba la boca con papel, para luego cerrársela con la mano. Cuando, finalmente, vaciaba la boca del cocodrilo (pero no la suya) hacía que el cocodrilo fuera por toda la habi-tación, mordiendo y desgarrando todo lo que tenía a su alcance.

Errol necesitó ayuda profesional para poder separar los pensamientos y las palabras de las acciones, así como para entender que podía estar enfadado sin necesidad de demostrarlo con acciones violentas. Cuando lo tuvo cla-ro, fue capaz de arriesgarse a hablar, especialmente para decir: «Estoy muy enfadado contigo. Te odio», sin que su-cediera nada desastroso. Descubrió que no sólo era posible, sino también seguro odiar a la persona que quería tanto. Y, una vez logrado esto, pudo aplicar su mente a otras tareas y empezar con el proceso de aprendizaje.

Errol es un ejemplo extremo de niño que cree que pensar algo, especialmente si es malo, equivale a hacerlo. Muchos niños de 4 años pueden tener miedo de pensar cosas malas, como si imaginaran que los adultos pudieran leerles la mente y castigarlos por ser malos, o fueran capaces de hacer que las cosas que pensaran se hicieran realidad. A los 4 años, puede seguir existiendo cierta confusión tanto entre la realidad y la fantasía, como entre la causa y el efecto.

Sarah estaba convencida de que podía hacer que su hermana se durmiera si se concentraba lo suficiente. Ni siquiera se planteaba el hecho de que decidiera concentrarse justo cuando su madre acababa de amamantar el bebé y éste ya empezaba a dormirse. ¡Había relacionado la causa equivocada con el efecto correcto! Por supuesto, tambien tenía que ver con la hostilidad subyacente hacia el bebé que se quedaba con la leche de mamá. «Haciendo» que se durmiera podría librarse de ella y recuperar toda la atención de su madre. Roald Dahl sintoniza perfectamente con esta creencia de los niños pequeños. Ha creado varios héroes y heroínas infantiles que pueden cambiar la realidad con algún tipo de pensamiento mágico. Una de las heroínas es la niña con «el dedo mágico», que, en el libro del mismo título, puede cambiar lo que desee simplemente apuntando con el dedo. Luego está la niña del título en *Matilda*, que utiliza sus «poderes mentales» para librarse de la directora de su escuela, entre otros personajes malvados.

Hacia los 5 años, la convicción de que puede hacer que pasen cosas usando la magia del pensamiento ha desaparecido casi por completo, en parte por los continuos choques con la realidad en la escuela. Descubre pronto que ciertas cosas no están bajo su control y que no puede hacer desaparecer a las personas desagradables por arte de magia, por mucho que lo desee.

Hay varios motivos por los que un niño puede verse incapaz de aprender y por los que puede necesitar ayuda para resolver problemas emocionales antes de poder iniciar el proceso más formal de aprender a leer y a escribir, por ejemplo. Graham nos ofrece un claro ejemplo de ello. Faltaban unos meses para que cumpliera 6 años y aún no había conseguido adquirir el sentido del tiempo. Habían abusado de él cuando era más pequeño, le habían apartado de su madre biológica y había estado con varios padres de acogida, sin saber si realmente le querían, ni cuanto tiempo estaría con ellos. Graham no sabía cuántos días tenía la semana, ni tampoco su propia edad. Cualquier referencia temporal le provocaba ataques de ira violentos; no podía arriesgarse a vincular presente, pasado y futuro, porque, durante su corta vida, ya se había encontrado con violencia y con incertidumbre. Si se permitía entender el tiempo, tendría que afrontar el dolor de un pasado con una madre que no pudo protegerle cuando era un bebé y de un futuro de padres de acogida con los que no podría quedarse.

Durante todo un año, una tía paterna de Graham que se había prestado a cuidar de él y el propio Graham recibieron ayuda para establecer una relación de confianza. Cuando Graham se convenció realmente de que su tía le quería y de que deseaba cuidarle para siempre, empezó por darse cuenta del día de la semana en que vivía y a continuación empezó a hablar espontáneamente acerca de su pasado. Finalmente, fue capaz de mirar hacia el futuro inmediato y, al cabo de un tiempo, en términos del próximo año y del año siguiente al mismo. Cuando consiguió asimilar el tiempo, pudo dedicarse a aprender a leer y a escribir.

Este ejemplo muestra lo fundamentales que son los factores emocionales en el proceso de aprendizaje y cómo pueden o bien interferir en el mismo por completo, o favorecerlo. La mayoría de niños tienen la suerte de compartir la vida con sus padres o con sus cuidadores, durante un período que comprende el pasado, el presente y el futuro. El niño puede relacionar experiencias presentes con experiencias pasadas y aumentar así su estructura de conocimientos. Y los padres están en una posición privilegiada para entender lo que intenta decir su hijo, porque han compartido la vida con él desde el principio. Cuando todos estos factores están bien establecidos, el niño puede empezar a desarrollarse intelectualmente.

La mayoría de niños se encuentran en algún lugar del continuo entre los extremos representados por Graham y su situación familiar y por una familia en la que todo va perfectamente. Los niños que tienen problemas en casa pueden afrontarlos de dos maneras cuando van a la escuela. O bien pueden ser revoltosos y buscar atención continuamente (para estos niños, la atención negativa es mejor que la ausencia de atención) o pueden retraerse y no pedir nada. Sin embargo, tal y como veíamos en el caso de Archie, que se convirtió en el revoltoso de la clase, el maestro o la maestra pueden ser fundamentales a la hora de proporcionarle al niño «la oportunidad de experimentar la esperanza de otras posibilidades» (Greenhalgh, 1994). Los niños callados y retraídos son los que suelen acabar olvidados, sencillamente porque no alborotan. Es comprensible que, si la maestra intenta controlar una clase de veinticinco niños o más, los que tienden a recibir su atención son los más traviesos, porque molestan al resto de la clase. Hay que ser muy sensible para darse cuenta de que un niño tiene verdaderos problemas, si no es capaz de verbalizarlos.

Aprender habilidades nuevas siempre entraña algún grado de frustración. El modo en que los niños reaccionen ante la frustración de no ser capaces de hacer algo bien instantáneamente influirá en su aprendizaje futuro. Algunos se desaniman y quieren abandonar, otros intentan controlar la situación manipulándola, pero los más afortunados serán capaces de conservar la curiosidad que les permitirá trabajar sobre un problema, con la esperanza de resolverlo. Cuanta más experiencia de aprender a partir de la frustración hayan tenido en el pasado, menos intentarán evadirse de la inevitable frustración inherente a todo lo nuevo o evitarla por completo mostrándose omnipotentes.

Con aprender de la frustración quiero decir, por ejemplo, que un bebé al que no se le ofrece inmediatamente el pecho cuando llora de hambre empezará a formarse una imagen mental del pecho ausente. Es el principio de los procesos cognitivos y de la imaginacón. Un niño que nunca ha experimentado la frustración —por ejemplo, si se le da el pecho antes de que ni siquiera tenga la sensación de hambre— no necesitará nunca hacer ese trabajo y, por el contrario, un niño al que se descuida y pasa hambre lo pasará demasiado mal como para poder imaginarse nada.

Puede verse en los niños de 4 años: los que han sufrido demasiadas frustraciones en el pasado se rinden desanimados cuando se enfrentan a una tarea nueva y los que siempre han visto satisfechas sus necesidades con demasiada rapidez tratan las situaciones nuevas con una omnipotencia que elimina la espera y la frustración por completo. Había un niño de 5 años y medio que resultaba un enigma para su maestra, porque era muy inteligente, pero iba muy rezagado respecto a los demás niños en lo que concernía a la lectura y a la escritura. Resultó que pensaba que no necesitaba esforzarse y que sencillamente «sabría» las cosas del mismo modo que creía que su padre había adquirido todo su conocimiento.

En realidad, los niños de 4 y 5 años no son tan distintos de los adultos. Todos preferimos evitar enfrentarnos a la incertidumbre y nos enfadamos ante la frustración. Todos deseamos respuestas inmediatas y sencillas; pero la clave del aprendizaje reside en ser capaz de mantener viva la curiosidad. La reflexión de Jessica acerca de cómo habían llegado al mundo ella misma, su madre y su abuela es un ejemplo de ello. Dijo: «Es muy complicado», pero siguió intentando comprenderlo, a diferencia de Tina, que decidió que tendría su propio bebé sin ayuda de nadie más (véase el capítulo 3).

Enfermedades y otros problemas
«Está enfermo por mi culpa.»

Johnny, que acababa de cumplir 4 años y había empezado primero de primaria, tuvo que pasar una noche en el hospital, porque tenían que practicarle la circuncisión para corregir una fimosis. Su madre entendía lo que podía representar para Johnny, pero no así su hermano mayor, Hugh, que alimentó de manera considerable los miedos de Johnny, riéndose de él y diciéndole que le iban a cortar el pito. Su madre tuvo que asegurarle a Johnny una y otra vez que no era cierto. El padre de Johnny también contribuyó a sus temores, porque comentó en su presencia que tenía sus dudas acerca de que circuncidaran a su hijo por razones médicas y no religiosas. ¿Qué identidad tendría su hijo después? Este tipo de operación despertó temores en los hombres de la familia, lo que convirtió a la madre de Johnny en la única capaz de mantener la perspectiva sobre el asunto. Los hermanos mayores pueden ser particularmente crueles en situaciones como ésta, quizás porque les despierta dudas acerca de su recientemente formada identidad. Hugh y su padre se aliaron en un momento en que Johnny necesitaba que su padre le ayudara a sentir que no le iban a cortar nada para hacerle ser menos hombre y que seguiría siendo igual que su padre y su hermano.

Johnny dispuso de un terapeuta de juego que trabajó con él para explicarle exactamente lo que sucedería en la operación y cómo se sentiría después. Johnny pudo «practicar» la operación a muñecos con genitales masculinos y a ositos de peluche, lo que le tranquilizó en gran medida. Su hermano siguió riéndose de él durante un tiempo, pero sus padres se negaron a tomar partido y las burlas fueron desapareciendo poco a poco.

Si son los padres quienes están enfermos, las emociones que se despiertan son absolutamente distintas. Los niños de 4 y 5 años, que batallan en la escuela y en el mundo exterior, se alteran mucho si uno de los padres no puede concentrarse en los cambios que acontecen en la vida de su hijo o de su hija como consecuencia de sus propios problemas. Si esto sucede, lo que el niño necesita es que se le explique la situación con tranquilidad y a un nivel adecuado para su capacidad de comprensión, para permitirle entender qué es lo que va mal y cómo puede arreglarse en el futuro. Me acuerdo especialmente de un padre que sufrió una depresión profunda cuando su hijo menor, Rahul, tenía 4 años y el mayor 7. Como es natural, la madre estaba preocupada por el estado de salud de su marido y dejó de atender a los hijos para concentrarse en el padre. Todos pensaron que el niño de 4 años no se daría cuenta de que su padre estaba enfermo. Al niño de 7 años sí que le explicaron lo que sucedía, por lo que entendía mejor por qué su padre se encontraba mal. También le dijeron que todo mejoraría. A Rahul, en cambio, de 4 años, le dejaron sumido en la confusión más absoluta. Se volvió más callado y retraído en la escuela y, a veces, se ponía a llorar sin motivo. Hasta que la maestra no pidió reunirse con los padres, no hablaron abiertamente del problema. Entonces su madre se dio cuenta de lo asustado que tenía que estar su hijo ante los cambios de conducta de toda la familia y, especialmente, ante la pérdida de interés por sus logros.

Tal y como he mencionado antes, cuando los niños no entienden lo que sucede, pero intentan encontrar explicaciones a su manera, suelen acabar teniendo fantasías y miedos que les perjudican mucho más que una explicación, en términos adecuados para su edad, de lo que realmente ocurre. Rahul creía que la culpa de que su padre estuviera enfermo era suya y pensó que su madre ya no le quería, porque estaba enfadada con él por haber provocado la enfermedad de su padre. Los niños de esta edad suelen culparse por las desgracias que le suceden a la familia, porque se sienten muy culpables por los pensamientos, fruto de la ira o el odio momentáneo hacia sus padres, ya hemos explicado que a esta edad los niños aún conservan el pensamiento mágico. Parte del trabajo de los padres consiste en sobrevivir a los ataques emocionales consecuencia de la ira de sus hijos. De todos modos, puede que sea inevitable que los niños crean que si su padre o su madre caen enfermos, es porque no han podido sobrevivir a su ira.

Conductas preocupantes

«¿Se le pasará?»

En ocasiones, los niños empiezan a comportarse de un modo que indica que hay algo que no va bien en sus vidas. La enuresis nocturna, la pérdida de apetito, los terrores nocturnos y la ansiedad constante pueden ser indicadores claros de que algo va mal. Puede que el origen se encuentre en desgracias concretas, como las que hemos mencionado antes, pero a veces no hay una causa concreta, aparte de la desdicha evidente del niño.

Cada vez hay más pruebas de que, ya a los 4 años, los niños pueden mostrar signos de depresión. También es mucho mayor el número de niños diagnosticados con TDA (trastorno por déficit de atención) o con TDAH (trastorno por déficit de atención con hiperactividad). También se sitúa a más niños con problemas de comunicación dentro del espectro del autismo y se utiliza el término, relativamente nuevo, «trastorno semántico-pragmático» para referirse a niños que se encontrarían en el extremo superior del espectro, en cuanto a capacidades, pero que tienen dificultades a la hora de comunicarse, leer, escribir o interactuar con los demás.

No se sabe si el aumento del número de niños diagnosticados con trastornos mentales refleja un aumento de la incidencia de los trastornos o si simplemente la gente es más consciente de los síntomas y los diagnósticos son más precoces. Suelen ser los padres quienes se dan cuenta muy pronto de que su hijo tiene algún problema y quienes deben emprender una lucha con la profesión médica para que le reconozcan y le diagnostiquen el trastorno a fin de poder considerar las opciones de que se disponen. Es muy frustrante para los padres que, cuando acuden al médico llenos de ansiedad para que reconozca a su hijo, les digan que se preocupan sin motivo alguno. A Mary le aseguraron que a su hijo de 4 años se le pasaría esa fase de retraimiento. Sin embargo, puede que los padres tengan razón cuando siguen sus instintos. Hay muchos adultos que se pasaron la infancia sabiendo que eran distintos a los otros niños, pero que no fueron diagnosticados hasta que pasaron de los 20 años. Es lo que solía sucederles a los niños con síndrome de Asperger, o a niños autistas funcionales.

Ahora sabemos mucho más sobre los niños con síndrome de Asperger, gracias al gran éxito que han cosechado libros como *El curioso incidente del perro a media noche*, de Mark Haddon. El narrador del libro es un buen ejemplo de niño con síndrome de Asperger: «activo, pero extraño» (Wing, 1996). Estos niños no prestan atención a las emociones o las necesidades de las personas con quienes hablan y no comprenden cómo funcionan las interacciones sociales. Los niños que padecen un autismo más grave se comportan como si el resto de personas no existiera. Suelen evitar el contacto visual y miran más allá o a través de las personas. Parece que están perdidos en su propio mundo.

Todos los niños autistas tienen problemas de comunicación, pero no todos los niños con problemas de comunicación son autistas. Pueden haber otras causas, ya sean médicas o emocionales. Antes he ofrecido el ejemplo de un niño de 4 años que tenía miedo de hablar, porque pensaba que las palabras que salieran de su boca podían hacerle daño a su madre.

Sin embargo, no hay duda de que al igual que a los niños les cuesta mucho soportar la incertidumbre de no saber lo que sucede, lo mismo les ocurre a los adultos, sobre todo si están convencidos de que su hijo tiene un problema real. Una etiqueta en forma de diagnóstico suele tranquilizarlos mucho, porque hace que todo encaje; la incomprensible conducta del último año ya tiene nombre. «Ahora entiendo por qué se comportaba así», exclamó aliviada una madre. Sin embargo, hay veces en que un diagnóstico no sólo es mal recibido, sino que, además, está equivocado, tal y como creyó Margaret. Margaret y su marido se habían ido a vivir a Estados Unidos con sus cuatro hijos. Margaret se sorprendió desagradablemente cuando el psicólogo de la nueva escuela le dijo que le había hecho unas pruebas a George, su hijo de 5 años, y que le aconsejaba que empezara un tratamiento con Ritalin® (el fármaco que se receta a los niños con TDAH) para que se calmara un poco. Margaret siempre había considerado que George era un niño perfectamente sano, aunque un poco revoltoso, eso era cierto. Afortunadamente, era su cuarto hijo y el tercer varón, y la experiencia con los niños mayores la ayudó a saber lo que era «normal».

Puede resultar complicado discernir entre un niño que realmente necesita tratamiento y que ha de ser diagnosticado, y un niño como George, cuyas «mala conducta» y dificultades de concentración son temporales y, en gran medida, consecuencia de su rechazo a irse a vivir a Estados Unidos y dejar atrás a sus familiares y amigos. Le estaba costando adaptarse a tantos cambios.

Una última palabra sobre lo fácil que es sentirse culpable: los padres son los primeros en culparse por lo que creen que han hecho o dejado de hacer por su hijo y, si el niño empieza a mostrar conductas preocupantes, el sentido de culpabilidad se exacerba. Tal y como dice el dicho popular: «Los padres siempre se equivocan». Los diagnósticos pueden ayudarles a sentirse menos culpables y más capaces de centrarse en el problema. La culpa «inútil» puede llegar a ser invalidante, mientras que la culpa «útil» puede ayudarnos a hacer algo distinto la próxima vez.

6

Avanzar

Hay que establecer límites

«No. Venga, bueno, vale, sí.»

Todos los niños de esta edad necesitan padres y profesores capaces de establecer límites firmes, sin ser demasiado punitivos. Puede que, en la escuela, el niño reaccione ante la obligación de compartir la atención de la maestra con el resto de «hermanos» intentando quitárselos de en medio, a veces con disimulo y otras más abiertamente. Si, por cualquier motivo, no se actúa al respecto (y nadie niega que, en ocasiones, es mucho más fácil hacer caso omiso de la conducta agresiva y esperar a que desaparezca por sí sola), el niño pensará que se ha salido con la suya, que el profesor o los padres tienen miedo de establecer límites o, incluso, que el adulto aprueba ese tipo de conducta. Esto hará que se sienta aún más poderoso y dominante, lo que no le ayudará a afrontar tendencias destructivas en el futuro.

Los niños que se tratan así tienden a probar los límites una y otra vez, porque, en realidad, están asustados de su capacidad de portarse tan mal con los demás. «Si un niño carece de límites adecuados, sale a buscarlos.» (Casement, 1990) Cuando se es capaz de mantener los límites a pesar de que el niño intente sobrepasarlos una vez y otra, se le demuestra que se aceptan y se comprenden sus emociones. Es muy frecuente ver el alivio reflejado en el rostro de un niño, cuando un adulto le dice «No» con firmeza, aunque sin resultar amenazador, ante una conducta inaceptable.

Hay veces en que es más fácil decirlo que hacerlo. Tal y como hemos visto, hay madres a quienes les cuesta mucho frustrar a sus hijos o que prefieren considerarse afectuosas y amables, en lugar de impositivas. Jennie, la madre de Jack, un niño de 4 años, estaba decidida a no ser como su propia madre, que, a su parecer, había sido muy dura y estricta con ella a esa edad. Así que Jennie se comportó de un modo distinto, hasta que nació la hermanita de Jack y él empezó a intentar atacarla. El deseo de proteger al bebé entró en conflicto con su deseo de ser amable y afectuosa con Jack. También se sorprendió ante la ira y el odio que acabó sintiendo y que, muy probablemente, Jack podía percibir, lo que aún le asustaría más. Jennie intentó afrontar estas emociones tan complejas tratando de negar tanto su propia rabia como la de Jack, pero éste reaccionó asustándose y perdiendo todavía más el control. Se convenció de que esas emociones eran insoportables e incontrolables. Cuando un niño como Jack tiene una madre que, aparentemente, no siente más que amor, acaba creyendo que él es el único que tiene emociones negativas, por lo que teme que no se le quiera en absoluto y no gustarle a nadie. Un concepto psicoanalítico que suele sorprender mucho es el que se debe ser capaz de odiar. El amor de los padres también debe incluir cierto grado de odio para que el niño aprenda a integrar ambas emociones de manera realista. De lo contrario, el niño acaba sintiendo únicamente odio, que, entonces, puede centrarse en el objeto equivocado, como le sucedió a Jack.

Cuando Jennie tuvo a su segunda hija, se volvió particularmente vulnerable a toda una serie de emociones que había tenido ella misma, como hija mayor de varios hermanos, emociones que aún no había resuelto. ¿Cómo podía comportarse como una adulta funcional si se habían despertado de nuevo los celos y la rabia infantiles que había conseguido reprimir durante tanto tiempo? Jack tuvo suerte, porque tenía un padre que intervino y se concentró en él, y una profesora que conocía la situación y que pudo tolerar su ira con firmeza y comprensión.

La madre de Toby y de Charlotte, los hermanos que hemos mencionado ya dos veces, primero cuando se peleaban y luego en función de las diferencias de género, podía controlar y estimular su desarrollo intelectual, pero cuando se trataba de establecer límites físicos, se mostraba incapaz de hacerlo, por lo que, con frecuencia, sus dos hijos corrían peligro de hacerse daño por accidente o al pelearse. Karen, su madre, también tenía problemas para controlar el tiempo que pasaban ante el televisor, a pesar de que se quejaba de que era excesivo. Cuando Toby lograba hacerse con el mando a distancia, el único que podía recuperarlo sin provocar una rabieta monumental era su padre. Parte del problema de Karen era que quería evitar cualquier conflicto que pudiera provocar esos berrinches, lo que generaba una gran confusión acerca de quién ostentaba el control y sobre quién podía decirle que no a quién.

Toby era una mina de información sobre temas que superaban con creces los conocimientos de un niño de 4 años normal, pero parecía que utilizaba el conocimiento sobre un tema para obtener cierta sensación de control sobre el mundo exterior. No en el sentido de comprenderlo a nivel emocional, sino en el de controlar la ansiedad que sentía por carecer de límites firmes impuestos por los padres. También quería agradar a su madre, para quien los logros intelectuales eran de vital importancia, pero, quizás, a costa de no ofrecer a Toby otro tipo de límites que le permitieran contener sus emociones conflictivas.

Una muestra característica de esta situación nos la proporcionó Toby el día en que estaba en la cocina, mirando un narciso en un tiesto que había en el alféizar de la ventana. Su madre se le acercó y le ofreció una galleta de chocolate, él la cogió y se la metió entera en la boca. Pidió otra y su madre contestó: «Normalmente sólo comemos una, ¿no?». La cara de Toby se enrojeció de furia y enseguida empezó a protestar. «Venga, bueno, vale, sí. Toma», le dijo su madre acercándole el plato. Cogió dos, sin que su madre dijera nada al respecto. Toby volvió a concentrarse en el narciso y empezó a nombrar todas sus partes, una por una: «Ha crecido mucho. Era invierno y ahora es primavera. Esto es el tallo» —dijo, tocándolo— «y esto los pétalos… Hay cinco… Uno, dos, tres, cuatro y cinco… Y esto es la corola». Creo que esta conducta muestra lo asustado que estaba Toby ante su desmesurada glotonería, que su madre fue incapaz de frenar. Puede que el sentimiento de culpabilidad le hiciera mostrar sus conocimientos intelectuales, para así aplacar a su madre.

A esta edad, los niños se enfrentarán a decepciones graduales e inevitables, si no con sus padres, con otros adultos, lo que permitirá que los límites vayan cristalizándose poco a poco. Su creencia anterior de ser omnipotentes se verá sustituida por ambiciones más realistas y alcanzables.

Hacia una independencia cada vez mayor

No me digáis: «Pórtate como una niña mayor»,
para acto seguido decir: «Aún eres demasiado pequeña
para eso».

Para poder ir adquiriendo independencia, su hijo necesita de una madre, o de un cuidador principal que, en general, haya sido capaz de controlar su ansiedad y de permitirle sentir que se le ha tenido en cuenta. En otras palabras, una madre o cuidador que haya prestado atención emocional y que haya sido capaz de mostrar curiosidad por su hijo hasta el momento en que éste haya crecido lo suficeinte como para mostrarla él mismo. La capacidad de pensamiento y de aprendizaje se desarrolla desde el principio, primero en el hogar y luego en la escuela, que proporciona un aprendizaje más formal. Sin embargo, ya hemos visto que incluso los niños de 4 y 5 años pueden hacer una regresión a etapas anteriores y comportarse como bebés, cuando se sienten abrumados por emociones intensas que no alcanzan a comprender. En esos momentos difíciles, necesitarán una madre que los ayude a pensar, hasta que puedan volver a hacerlo por sí solos.

Puede que lo más importante para los niños de esta edad sea sentir que disponen, en la mente de su madre, de un espacio donde se les comprende y donde se pueden asignar nombre a las emociones para así poder asumirlas. Entonces, podrán transferir la sensación de disponer de un espacio en la mente de otra persona a los profesores y a los amigos y, quizás lo más importante, desarrollar en su propia mente un espacio en el que poder pensar. Su sentido de identidad como persona independiente de su familia, pero vinculada a ella, irá asentándose a medida que se vea reflejado en los ojos ya no sólo de su madre, sino de todas las personas significativas en su vida.

Las amistades cada vez serán más sólidas y se quedará a dormir en casa de otros niños, sin sentir demasiada ansiedad por alejarse de los padres. Las fantasías compartidas y el juego simbólico desempeñarán una función cada vez más importante en las amistades profundas, lo que permitirá una mayor intimidad, así como el aprendizaje de nuevas maneras de superar las desavenencias.

El período entre los 5 y los 11 o 12 años aproximadamente, que corresponde a la etapa de educación primaria, se denomina período de latencia. Latencia significa que las emociones apasionadas que el niño ha sentido hasta el momento permanecerán aletargadas hasta llegar a la pubertad. Hay un buen motivo para este período de relativa calma: durante este tiempo el niño puede dedicar toda su energía a aprender y a establecer relaciones sociales. Cada nuevo logro, desde aprender a atarse los zapatos hasta aprender a leer, le proporcionará una gran sensación de éxito que reforzará su sensación de que puede controlar el mundo que le rodea.

Y, de este modo, con suerte y con cariño, el niño alcanzará su sexto cumpleaños con una confianza que le permitirá mirar hacia fuera. Dejará atrás las emociones turbulentas que sentía hacia sus padres y empezará a dirigir su curiosidad hacia otros tipos de emparejamiento y de unión. El deseo de saber lo que sucede tras la puerta cerrada del dormitorio de sus padres (cosas que no puede ni siquiera imaginar y de las que está excluido por completo) irá disminuyendo. Cuando haya reprimido la curiosidad sexual, podrá concentrarse mejor en todas las cosas emocionantes e interesantes que suceden en su propia vida. Es el momento de aprender qué sucede en el mundo exterior a partir de su propia experiencia.

Conclusión

Nota urgente para mis padres

No me pidáis que haga lo que no puedo hacer.
Pedidme sólo aquello que me sea posible.
No me pidáis que sea quien no puedo ser.
Pedidme que sea sólo quien puedo ser.

No me digáis: «Pórtate como una niña mayor»,
para acto seguido decir: «Aún eres demasiado pequeña
para eso».
POR FAVOR, no me pidáis que llegue donde no puedo
llegar.
POR FAVOR, contentaos con verme justo donde estoy.

Hiawyn Oram (1993)

Bibliografía y lecturas recomendadas

Bowlby, J., *A Secure Base: Clinical Applications of Attachment Theory*, Londres, Routledge, 1988 (trad. cast.: *Una base segura: aplicaciones clínicas de una teoría del apego*, Barcelona, Paidós, 1996).

Casement, P., *Further Learning from the Patient: The Analytic Space and Process*, Londres, Tavistock/Routledge, 1990.

Dunn, J., *Children's Friendships: The Beginnings of Intimacy*, Londres, Blackwell, 2004.

Greenhalgh, G., *Emotional Growth and Learning*, Londres, Routledge, 1994.

Haddon, M., *The Curious Incident of the Dog in the Night-time*, Londres, Vintage, 2004 (trad. cast.: *El curioso incidente del perro a medianoche*, Barcelona, Quinteto, 2007).

Oram, H., «Urgent Note to my Parents,» en J. Foster (comp.), *All in the Family*, Oxford, Oxford University Press, 1993. Reimpreso en S. Gibbs (comp.), *Poems to Annoy your Parents!*, Oxford, Oxford University Press, 2003.

Salzberger-Wittenberg, I., Henry, G. y Osborne, E., *The Emotional Experience of Learning and Teaching*, Londres, Routledge y Kegan Paul, 1983.

Waddell, M., *Inside Lives: Psychoanalysis and the Development of Personality*, Tavistock Clinic Series, Londres, Duckworth, 1998.

Wing, L., *The Autistic Spectrum: A Guide for Parents and Professionals*, Londres, Constable, 1996.

Winnicott, D. W., *The Child, the Family and the Outside World*, Londres, Penguin, 1964 (trad. cast.: *Conozca a su niño: psicología de las primeras relaciones entre el niño y su familia*, Barcelona, Paidós, 1993).

Libros para su hijo de 4 o 5 años

Ahlberg, A. y Amstutz, A., *Dinosaur Dreams*, Londres, Heinemann, 1991.

Blake, Q., *Mister Magnolia*, Londres, Jonathan Cape, 1980.

Burningham, J., *Mr Grumpy's Outing*, Londres, Penguin (Picture Opuffins), 1978.

Dahl, R., «The Enormous Crocodile», en *The Roald Dahl Treasury*, Londres, Jonathan Cape, 1997 (trad. cast.: *¡Qué asco de bichos! El cocodrilo enorme*, Madrid, Santillana, 2005).

Donaldson, J. y Scheffler, A., *The Gruffalo*, Londres, Macmillan, 1999 (trad. cast. *El grúfalo*, Barcelona, Destino, 1999).

Donaldson, J. y Scheffler, A., *Monkey Puzzle*, Londres, Macmillan, 2000.

Donaldson, J. y Scheffler, A., *The Smartest Giant in Town*, Londres, Macmillan, 2002.

Grey, M., *Traction Man is Here*, Londres, Jonathan Cape, 2005.

Milne, A. A., *Winnie-the-Pooh*, Londres, Methuen, 1973 (trad. cast.: *Las aventuras de Winnie the Pooh*, Madrid, Gaviota, 1998).

Rosen, M. y Oxenbury, H., *We're Going on a Bear Hunt*, Londres, Walker Books, 1989 (trad. cast.: *Vamos a cazar un oso*, Ekaré, Caracas, 1993).

Sendak, M., *Where the Wild Things Are*, Londres, Bodley Head, 1967 (trad.cast.: *Donde viven los monstruos*, Madrid, Alfaguara, 2005).

Tomlinson, J. y Howard, P., *The Owl Who was Afraid of the Dark*, Londres, Egmont Books, 2000.

Waddell, M. y Benson, P., *Owl Babies*, Londres, Walker Books, 1992.

Waddell, M. y Firth, B., *Can't You Sleep Little Bear?*, Londres, Walker Books, 1988 (trad. cast.: *¿No duermes, osito?*, Madrid, Kókinos, 1998).

Direcciones útiles

Asociación Española de Pediatría (AEP)
C/ Aguirre 1, Bajo derecha
28009 Madrid
Teléfono: 91 435 50 43
Página web: <www.aeped.es/infofamilia/index.htm>
Web con información para padres por edades, desde recién nacido hasta la adolescencia.

Asociación Solidaridad con las Madres Solteras
C/ Almagro, 28
28010 Madrid
Teléfono: 91 308 21 50
Centro de información y apoyo a madres solteras.

Escuela de Padres y Madres
Ministerio de Educación y Ciencia
C/ Torrelaguna, 58
28027 Madrid

Teléfono: 91 377 83 00
Página web: <http://w3.cnice.mec.es/recursos2/e_padres/>
Web del Ministerio de Educación y Ciencia de España con orientación general sobre educación desde el primer año de vida hasta la adolescencia.

Asociación Argentina de Pediatría
Av. Coronel Díaz 1971/75
C1425DQF
Capital Federal, Buenos Aires
Argentina
Teléfono: (54-11) 4821 8612
Página web: <www.sap.org.ar>
Web con información sobre los temas más habituales que preocupan a los padres de niños entre 1 y 5 años.

Así debo crecer
Página web: <www.babyasigrow.com/home_other.php>
Web en español e inglés que trata sobre el crecimiento adecuado de 0 a 24 meses.

Mundo padres
Página web: <www.mundopadres.estilisimo.com>
Web con información detallada sobre el desarrollo del niño desde el nacimiento hasta la adolescencia.

Zona Pediátrica
Página web: <www.zonapediatrica.com>
Enciclopedia on-line sobre salud infantil desde recién nacido hasta la adolescencia.

Directorio Infantil

Página web: <www.directorioinfantil.com>

Directorio infantil de México especializado en el desarrollo de los niños.